TUSSEN TWEE WERELDEN

Olga van der Meer

Tussen twee werelden

Westfriesland

www.kok.nl

NUR 344
ISBN 978 90 205 2903 6

HOOFDSTUK 1

„We zijn er. U kunt uitstappen, mevrouw Van Amsbeek."
Leo's stem klonk teder en plagend.
„Mevrouw Van Amsbeek." Colette proefde haar nieuwe naam als het ware op haar tong. „Het klinkt nog erg vreemd, hoor."
„Je had ook je eigen naam kunnen houden als je dat gewild had."
Ze schudde resoluut haar hoofd. „Nee, dank je. Dezelfde naam als mijn vader dragen, dat is niet iets waar ik veel behoefte aan heb. Bovendien vind ik het veel romantischer om jouw naam te hebben. De hele wereld mag weten dat we getrouwd zijn."
Ze lachte naar hem en hij kon het niet nalaten om haar even snel een zoen te geven voor hij uit de wagen stapte.
Colette bewonderde het hotel waar ze voor stonden. Het was opgetrokken uit lichte bakstenen en voor ieder raam hingen bloembakken met vrolijk gekleurde planten erin. Het zag er gezellig en uitnodigend uit.
„Ik heb goede herinneringen aan dit hotel," vertelde Leo terwijl hij hun koffers uit de wagen tilde. „Vroeger kwam ik hier vaak."
„Met je eerste vrouw?" vroeg Colette ondoordacht.
„Natuurlijk niet." Leo trok zijn wenkbrauwen hoog op. „Zo onkies ben ik niet dat ik op huwelijksreis ga naar een hotel waar ik met Isa geweest ben. Je zou me beter moeten kennen. Ik kwam hier veel als kind, met mijn ouders. De toenmalige eigenaars leven niet meer, hun oudste zoon heeft het hotel overgenomen. We zijn ongeveer van dezelfde leeftijd, we speelden heel vaak samen."

„En haalden natuurlijk het nodige kattenkwaad uit," begreep Colette.

Leo grijnsde. „Nogal ja. Het hotel stond regelmatig op stelten door onze ondoordachte acties. Het gebeurde meer dan eens dat we uit elkaar gehaald werden, maar we bleven elkaar toch weer opzoeken."

„Hebben jullie later nog contact gehouden?" wilde Colette weten. Ze liepen over de brede, marmeren treden het bordes op.

„Soms. Pieter en ik zijn elkaar nog wel eens tegen gekomen in de loop der jaren, maar zoiets verwatert snel. Toen hij echter hoorde dat ik naar zijn hotel wilde komen voor mijn huwelijksreis heeft hij meteen zijn beste suite voor ons gereserveerd. Daar is hij." Leo zette zijn koffer neer en begroette een kalende, dikke man die enthousiast aan kwam lopen.

„Eindelijk!" riep hij uit. „Kerel, wat zie je er goed uit. Je bent weinig veranderd met de tijd."

„Jij wel," zei Leo meer eerlijk dan tactvol.

Het scheen Pieter niet te deren. Hij lachte luidkeels en klopte daarbij op zijn omvangrijke buik, die boven zijn broekriem uitpuilde. „Ik weet het. Het goede leven, hè? Mijn Emma is de beste kokkin die je je voor kunt stellen, vandaar."

„Nooit geweten dat je haaruitval krijgt van goed eten," plaagde Leo gemoedelijk.

„Dat is gewoon ouderdom," lachte Pieter. „Die op jou geen vat heeft gehad, zo te zien. Je bent nog even atletisch als vroeger, man. En dit is dus je nieuwe vrouw?" Hij schudde Colette hartelijk de hand. Zijn blik gleed goedkeurend over haar slanke lichaam, hij floot bewonderend. „Geen wonder dat jij er nog zo jong uitziet, je moet haar natuurlijk wel een beetje bijhouden. Lieve schat, wat doe jij met zo'n oude man als Leo hier?"

„Hou nou maar op, ja." Leo gaf Pieter speels een duw. Colette zag echter aan hem dat zijn woorden hem geraakt hadden. Leo had meer last van hun leeftijdsverschil dan zij. Voor haar was Leo gewoon Leo, de man waar ze van hield. Hij had haar echter heel lang gezien als de vrouw die zijn dochter had kunnen zijn, had hij haar aan het begin van hun relatie wel eens toevertrouwd. Vijfentwintig jaar verschil was dan ook niet niets, al maakte dat Colette niet uit. Leo was altijd bang dat mensen hem zouden zien als de oude bok die ook nog een groen blaadjes lustte. De man van middelbare leeftijd die zo nodig opnieuw moest beginnen met een jonge meid. Vooral omdat hij nog maar pas gescheiden was toen hij Colette ontmoette, werden er in hun kennissenkring vaak grappen gemaakt over het feit dat hij zijn eerste vrouw Isa had ingeruild voor een jonger exemplaar. Hij was erg gevoelig voor de mening van de buitenwereld, wist Colette. Veel meer dan zij.

Maar zij had dan ook al de nodige ervaring op dat gebied, dacht ze even wrang. Haar ouders waren gescheiden toen zijzelf nog een kleuter was en haar vader had sindsdien de ene jonge vriendin na de andere versleten. Zelf werd hij steeds ouder, zijn vriendinnen bleven echter rond de twintig. De laatste vrouw die hij aan haar voor had gesteld was zelfs jonger dan Colette met haar vijfentwintig lentes. Als zij zich iets aan moest trekken van het geroddel over hun gezin, had ze geen leven gehad. Als kind en puber had ze het vreselijk gevonden dat haar vader zichzelf zo belachelijk maakte, tegenwoordig maakte het haar echter niets meer uit. Ze wist al heel lang dat Lennard Zoutenbier geen vaderfiguur was en dat ze niet op hem hoefde te rekenen

7

in tijden dat ze hem nodig had. Na het overlijden van haar moeder, twee jaar geleden, had ze alles in haar eentje moeten regelen. Haar vader was naar de begrafenis toegekomen met een blond meisje van eenentwintig aan zijn arm, die zich kirrend aan Colette had voorgesteld als 'haar nieuwe stiefmoeder.' Iets waar haar vader overigens smakelijk om had moeten lachen. Hij had haar zelfs verweten overgevoelig te zijn toen Colette met een vinnige opmerking had gereageerd. Het was Leo, de begrafenisondernemer die haar in die dagen begeleidde, die een ruzie wist te voorkomen door haar mee te tronen naar het buffet en haar een kop koffie te geven.

Ach, Leo… Colette glimlachte. Hij was alles voor haar, al beweerden veel mensen dat ze slechts een vaderfiguur zocht omdat Lennard het altijd af had laten weten. Bij Leo zocht ze wat ze in haar jeugd gemist had, was de algemeen geldende opinie. Zij lachte daar om. Misschien hadden die mensen wel gelijk en zocht ze onbewust naar compensatie, maar wat maakte dat uit? Leo en zij hielden van elkaar, daar ging het om. Hij maakte haar leven compleet na de eenzame tijd die achter haar lag en hij had dankzij haar weer vertrouwen in mensen gekregen nadat Isa hem bedrogen had met zijn beste vriend. Ze vulden elkaar aan. Samen konden ze lachen, praten, huilen en vrijen. Wat wilde een mens nog meer? Iedere dag die ze tot nu toe samen met Leo had doorgebracht, was een gelukkige dag geweest.

Pieter begeleidde hen naar hun kamer, waar hij hen alleen liet.

Colette liep meteen naar de openslaande deuren die naar het balkon leidden. Leunend tegen de balustrade snoof ze diep de zilte zeelucht op.

„Daar zitten we dan, in Zeeland." Ze grinnikte. „En iedereen maar denken dat we naar een ver, exotisch oord gaan. Ze zullen vreemd opkijken als ze horen waar we werkelijk onze huwelijksreis doorgebracht hebben."

„Laat ze vooral maar denken dat we onbereikbaar ver weg zitten," lachte Leo met haar mee. „Als ze weten dat we op slechts anderhalf uur rijden afstand zitten, heb je dikke kans dat er mensen 'gezellig' langskomen en daar heb ik helemaal geen zin in."

„Mijn idee. Ik heb genoeg aan jouw gezelschap." Colette sloeg haar armen om Leo's nek en keek hem stralend aan. „Heb ik je vandaag al gezegd dat ik van je hou?"

„Nog niet vaak genoeg, volgens mij." Hij kuste het puntje van haar neus. „En had ik je al gezegd dat je er schitterend uitzag als mijn bruid?"

„Nauwelijks. Wat is de dag trouwens snel voorbij gegaan, hè? Maandenlang kijk je er naar uit, maar het is in een zucht voorbij."

„Je had nu in een feestzaal op de dansvloer kunnen staan, maar dat wilde je zelf niet," merkte Leo op.

Colette schudde haar hoofd. „Daar had ik geen behoefte aan, hoewel de dag op zich van mij veel langer had mogen duren. Maar zo'n feest... Nee hoor. Zoals we het nu gedaan hebben, met een uitgebreide lunch en daarna de receptie vond ik het prima. Een zaal vol dronken mensen die hossend achter elkaar aan lopen en die het nodig vinden om het bruidspaar op hun schouders te hijsen, hoeft voor mij niet. Zullen we trouwens de koffers even uitpakken? Dan kunnen we ons opfrissen en ergens gaan eten. Ik begin trek te krijgen."

„Ik ook, maar niet in eten." Met een glinstering in zijn ogen trok Leo haar naar zich toe. Het was niet moeilijk te raden wat hij wilde, maar het kwam niet in Colette op om te protesteren. Uitpakken en eten konden ze altijd nog. Met een zucht van geluk nestelde ze zich in zijn armen.

Het was al laat voor ze op zoek gingen naar een restaurant, maar aangezien het seizoen net begonnen was, was dat geen enkel probleem. Er waren nog genoeg zaken open waar ze een hapje konden eten. Terwijl Colette van haar uitgebreide visschotel genoot, kreeg Leo amper een hap naar binnen. Hij was te zeer vervuld van geluk om te kunnen eten. Nog steeds kon hij maar amper bevatten dat deze jonge, knappe en lieve vrouw van hem was gaan houden. Wat had hij haar nou helemaal te bieden? Hij was vijfentwintig jaar ouder, wat ondanks zijn atletische gestalte en zijn nog volle haardos niet te verbloemen viel. Hij had een mislukt huwelijk achter de rug waar hij een paar behoorlijke littekens aan overgehouden had en hij kon haar geen kinderen geven. Dat laatste was één van de redenen waarom hij zich lange tijd op de achtergrond had gehouden, hoewel het wat hem betrof liefde op het eerste gezicht was geweest toen hij in zijn functie als begrafenisondernemer de uitvaart van haar moeder moest verzorgen. Colette was zo kwetsbaar en eenzaam geweest, hij had alles wel willen doen om haar te helpen. Toen hun zakelijke band uitgroeide tot vriendschap en later zelfs tot meer, durfde hij haar zijn gevoelens niet te bekennen. Colette was jong, ze moest een man van haar eigen leeftijd zoeken die haar alles kon geven wat ze van het leven verlangde, hield hij zichzelf voor. Er was echter geen houden aan. Hun gevoelens voor elkaar waren zo sterk dat alle praktische bezwaren als vanzelf wegvielen. Dat ze samen nooit kinderen zouden krijgen was voor Colette geen reden geweest om hun omgang te verbreken, hoewel ze graag moeder had willen worden. Ze had echter liever hem dan een eigen gezin, waardoor Leo zich extra verantwoordelijk voelde voor haar geluk. Hij had zichzelf tot taak gesteld haar gelukkig te maken, hoe dan ook. Tot nu toe was dat in ieder geval prima gelukt. Hun verschil in leeftijd gaf in de praktijk geen grote problemen. Leo was energiek genoeg en stond midden in het leven, Colette was rustiger en bedachtzamer dan de meeste vrouwen van haar leeftijd. Ze had er geen behoefte aan om ieder weekend te gaan stappen en vond het juist heerlijk om lekker thuis te zijn.

„Wat zit je te peinzen?" haalde zijn kersverse vrouw hem uit zijn gedachten. „Je hebt amper wat gegeten. Smaakt het je niet?"

„Ik heb eerlijk gezegd geen idee," bekende Leo. „Ik zat me af te vragen of dit echt is, of dat ik een heerlijke droom beleef. Jij maakt me zo ontzettend gelukkig, daar heb je geen idee van. Na Isa dacht ik dat het hoofdstuk liefde voor mij voorgoed gesloten was, tot jij in mijn leven kwam. Jij bent degene die mijn leven weer inhoud gegeven heeft. Dankzij jou geniet ik weer en kan ik weer lachen."

Colette keek hem stralend aan, ze voelde een brok in haar keel opkomen. „Dat klinkt beter dan een simpel 'ik hou van jou', hoewel ik die woorden ook maar al te graag hoor," zei ze luchtig in een poging haar ontroering te verbergen.

„Alleen maar 'ik hou van jou' dekt de lading niet. Het zit zoveel dieper." Leo pakte allebei haar handen vast. „Jij bent alles voor me."

„Dat is volkomen wederzijds," zei Colette. Ze kon niet voorkomen dat haar ogen vochtig werden. Leo's woorden raakten haar diep in haar hart. Nooit eerder had ze zoveel van iemand gehouden als van deze man.

Stevig gearmd wandelden ze op hun gemak terug naar het hotel. In de lounge kwam Pieter enthousiast op hen af rennen.

„Ha, daar zijn jullie. Nu kan ik Colette eindelijk voorstellen aan mijn vrouw. Emma, schat, kom je even?" riep hij naar achteren.

Een kleine, mollige vrouw met grijs haar kwam aanlopen. Ze kuste Leo op beide wangen, daarna strekte ze haar hand uit naar Colette.

„Jij moet Colette zijn. Ik heb al zoveel over je gehoord. We hebben niet zoveel contact met Leo, maar als we hem spreken heeft hij altijd zijn mond vol over jou."

„Ach ja, waar het hart vol van is…" Pieter lachte schaterend. „Kom mensen, dan drinken we nog iets op deze heuglijke dag. Ik heb een schitterende fles wijn, speciaal bewaard voor een bijzondere gelegenheid, dus het lijkt me een prima plan om die nu open te maken."

Colette was liever met Leo naar hun eigen kamer gegaan, maar op zijn vragende blik knikte ze toch bevestigend.

„Een half uurtje maar," fluisterde Leo in haar oor.

Dat halve uurtje liep echter uit tot een fors uur. Vooral Pieter raakte niet uitgepraat nu zijn oude vriend eindelijk weer eens tegenover hem zat. Dat die vriend diezelfde dag getrouwd was en hij nu graag met zijn vrouw alleen wilde zijn, drong niet tot hem door. Talloze herinneringen aan vroeger haalde hij op, zodat de twee mannen regelmatig in de lach schoten. Pieters verhalen werkten aanstekelijk op Leo, ook hem schoten nu reeds lang vergeten gebeurtenissen opnieuw te binnen en het ene verhaal lokte het andere uit.

Colette zat er stilletjes bij. Plotseling voelde ze zich een vreemde in dit gezelschap. De verhalen dateerden uit een tijd toen zij nog lang niet geboren was en dat was een rare gewaarwording. Als zij samen met Leo was, praatte hij nooit over vroeger, hun gesprekken gingen over het heden en over mensen die ze allebei kenden. Alle anekdotes die nu los kwamen deden haar pijnlijk beseffen dat zij eigenlijk niet in dit gezelschap thuis hoorde. Ze had absoluut niets gemeen met Pieter en zijn vrouw. Emma was ouder dan haar eigen moeder en haar mollige figuur en grijze haren accentueerden dat nog eens. Pieter zag er ook een stuk ouder uit dan zijn werkelijke leeftijd, in tegenstelling tot Leo. Mensen schatten hem altijd minstens vijf jaar jonger dan de vijftig jaren die hij telde. Hij was lang, had brede schouders, een slank postuur en zijn houding was kaarsrecht. Zijn volle, donkere haardos begon weliswaar grijs te worden, maar dat maakte hem alleen maar gedistingeerder. De neutrale bril die hij droeg was tijdloos. Pieter en Leo waren even oud, Colette kon zich echter niet voorstellen dat ze ooit verliefd zou worden op Pieter. Ze rilde bij de gedachte. Vergeleken bij haar Leo was hij echt een oude man.

„Ik geloof dat het kind slaap begint te krijgen, ze is zo stil," merkte Emma op. Ze lachte er vriendelijk bij, maar Colette voelde haar nekharen overeind komen.

„Dit kind heeft geen slaap, maar zit zich te vervelen bij alle verhalen uit de oude doos," reageerde ze vinnig.

„We gaan naar boven," suste Leo de boel snel. Hij legde kalmerend zijn hand op Colettes arm. „Hoe gezellig ook, dit is wel onze huwelijksreis en we hebben niet zoveel behoefte aan het gezelschap van anderen. Ik weet zeker dat jullie dat kunnen begrijpen."

„Voor ons is dat al zolang geleden, dat zijn we allang vergeten." Weer lachte Pieter bulderend, iets wat hij vaak en graag deed, had Colette al gemerkt. Het liefst om zijn eigen oubollige, clichématige uitspraken. Ze glimlachte beleefd, maar kon een zucht van opluchting niet onderdrukken toen ze zich eindelijk in hun eigen kamer konden terugtrekken.

„Sorry, het is waarschijnlijk een verkeerde keus van me geweest om onze huwelijksreis hier door te willen brengen. Ik had iets uit moeten zoeken wat voor ons allebei nieuw is," zei Leo berouwvol.

„Pieter en Emma zijn aardig genoeg," zei Colette voorzichtig. „Maar ik heb er inderdaad geen zin in om voortdurend met hen op te moeten trekken. Ik geloof niet dat we iets gemeen hebben. Emma is ouder dan mijn moeder."

„Ik ben ook ouder dan je vader," merkte Leo terecht op.

„Dat is me anders nooit opgevallen." Plagend woelde Colette door zijn haren, iets waar hij een vreselijke hekel aan had. Hij trok dan ook schielijk zijn hoofd terug.

„Het feit blijft anders hetzelfde. We kunnen niet ontkennen dat er een hele generatie tussen ons in zit. Dat bezwaart me wel eens," bekende hij.

„Zo voelt het niet tussen ons, terwijl ik dat gevoel wel bij Pieter en Emma had." Colette ging op de rand van het brede bed zitten en staarde peinzend voor zich uit. „Dat zijn typisch mensen van middelbare leeftijd, zowel in uiterlijk als in gedrag. Jij hebt dat helemaal niet. Alleen die uitspraken van Pieter al, oubolliger kan het haast niet. En Emma is echt zo'n zorgzame moederkloek. Ongetwijfeld heel lief en hartelijk, maar ik heb er niets mee. Ik heb niet het gevoel dat ik een gesprek met haar kan voeren over dingen die mij bezighouden of dat ik lekker met haar kan lachen om niets, zoals ik met mijn vriendinnen doe."

„Dat hoeft ook niet. We zijn betalende gasten hier, in principe hebben we niets met hen te maken," meende Leo.

„Dat is wel erg cru, tenslotte is Pieter een vriend van je."

„Maar ik vind jou oneindig veel belangrijker." Leo ging naast haar zitten en streelde haar rug. „Ik had van te voren moeten bedenken dat het voor jou anders ligt dan voor mij. Het spijt me."

„Dat hoeft niet." Colette lachte alweer, ze was niet gewend om Leo zo deemoedig te zien. Hij was juist altijd zo doortastend en resoluut. Sommige mensen vonden hem hard, zij wist echter dat die hardheid slechts het buitenlaagje was en dat daaronder een gevoelige, kwetsbare man zat. „We kunnen best af en toe gezellig iets met ze drinken, zolang het maar niet iedere avond is. En zolang ze me maar geen kind meer noemt, anders wordt het ruzie," liet ze er dreigend op volgen.

„Vergeleken bij hen ben je ook nog een kind," plaagde Leo haar.

„O ja? En in jouw ogen dan?" Ze schoof iets naar hem toe en keek hem uitdagend aan.

„Dat zeer zeker niet," zei hij schor terwijl hij haar in zijn armen nam en haar begon te kussen. „Het woord 'kind' is wel het laatste dat in me opkomt als ik naar jou kijk of aan je denk."

„Dan is het goed," zei Colette tevreden.

Gelukzalig onderging ze zijn omhelzing en met een rilling van genot liet ze toe dat hij de knoopjes van haar blouse begon los te maken. Alle gedachten aan Pieter en Emma werden meteen weggevaagd, evenals haar irritatie eerder die avond. Dit was hun huwelijksnacht, er was totaal geen ruimte meer voor iets anders.

HOOFDSTUK 2

Er volgden twee gouden weken voor Colette en Leo. Hoewel het pas voorjaar was, hadden ze het weer mee. Op een enkel buitje na scheen de zon bijna voortdurend, alsof het heelal meewerkte om hun huwelijksreis tot een succes te maken. Ze maakten uitstapjes in de buurt, aten in kleine restaurantjes, maakten lange wandelingen langs het strand en bezochten af en toe een stad om te winkelen. Maar bovenal genoten ze van elkaar. De wetenschap dat ze nu voor altijd officieel aan elkaar verbonden waren, gaf een extra dimensie aan hun relatie. Ze waren simpelweg dolgelukkig samen. Een enkele keer dronken ze wat met Pieter en Emma, maar nadat Leo een ernstig gesprek met hen gevoerd had, drongen ze zich niet meer aan het stel op. Ze bleven wel net zo hartelijk als op de eerste dag en geen moeite was hen teveel om het hun gasten naar de zin te maken. Colette ging ze steeds meer waarderen, al wist ze dat ze nooit echt bevriend zou raken met dit echtpaar. Daarvoor waren de verschillen tussen hen te groot. Pieter en Emma beschouwden haar als een onmondig kind en zonder dat ze het zeiden, wist Colette dat ze zich afvroegen wat Leo met haar moest.

„Dat zou ik ze kunnen vertellen, maar daar heb ik geen zin in," zei Leo toen Colette daar op één van hun laatste dagen een opmerking over maakte. Hij trok een zuinig mondje. „Dat zou alle fatsoensnormen overschrijden."

Colette gaf hem een stomp tegen zijn arm. „Ik mag toch hopen dat je niet alleen een lustobject in me ziet," lachte ze.

„Nou…" Zijn ogen gleden over haar lichaam. „Daar zit iets in. Het beruchte groene blaadje, je kent dat wel. Ze zeggen altijd dat je het op een oude fiets moet leren. Dat heb ik gedaan, nu mag ik dus op een gloednieuwe racefiets rijden."

Gierend van het lachen liet Colette zich langs de duinenrand op het zand vallen. Ze moest zo hard lachen dat ze er kramp in haar buik van kreeg. „Dan zit ik zeker nog midden in mijn studie," schaterde ze.

„Schooier." Leo kietelde haar tot ze smeekte om genade. Helemaal slap van het lachen en de daarop gevolgde stoeipartij leunde ze tegen hem aan. Dit was een heerlijk beschut plekje, in de zon en uit de wind. Ze zou hier wel uren kunnen blijven zitten, dacht ze loom. Ze verlangde totaal niet naar het gewone, dagelijkse leven. Wat Colette betrof mocht hun huwelijksreis nog heel lang duren.

De tijd vloog echter om en voor ze het wisten was hun laatste avond aangebroken. Deze keer hadden ze in hun hotel gegeten en Pieter had zich uitgesloofd om hen alles te brengen wat ze maar konden wensen. Ook Emma, die de keuken verzorgde, had extra haar best gedaan om er een waar feestmaal van te maken. Na afloop van het diner streken ze in de lounge neer met koffie, bij de gezellig brandende open haard. Even later voegde zich een heel gezelschap bij hen in de ruimte. Het was een groep mensen van acht personen, allemaal in de leeftijd tussen de twintig en dertig jaar. Een hechte vriendengroep, meende Colette op te kunnen maken uit de gesprekken en de kwinkslagen die niet bepaald zacht over en weer vlogen. Eén van hen verzocht Pieter muziek op te zetten, zodat ze konden dansen. Meer mensen kwamen op dat geluid af en het werd een gezellige, dolle boel in de lounge. Leo, die zelf niet zo van dansen hield en nooit zo uitbundig was, bekeek het geamuseerd. Colette wierp een verlangende blik op de geïmproviseerde dansvloer, waar de jongelui het uitermate naar hun zin hadden. Dat bleef niet onopgemerkt door de groep. Na wat onderling gefluister kwam er een jonge vrouw naar het tafeltje van Leo en Colette toe, dat iets apart stond van de rest.

„Heb je soms zin om bij ons te komen zitten?" vroeg ze aan Colette. „Dat lijkt me gezelliger voor je dan hier bij je vader te blijven."

Colette beet op haar onderlip. Ze wierp een snelle blik op Leo, die zijn gezicht pijnlijk vertrok.

„Dit is mijn vader niet," zei ze, haar hand op de zijne leggend.

„O, shit." Het meisje verschoot van kleur. „Het spijt me. Ik eh… Ik…" Ze kreeg het er benauwd van. Heel haar lichaamshouding drukte duidelijk uit dat ze niets liever wilde dan weglopen bij dit tafeltje.

„Het geeft niet," stelde Colette haar met een glimlach gerust. „Ga maar snel weer naar je vrienden."

„Oké, dag." Opgelucht liep ze weg, het schaamrood nog op haar kaken.

Leo mompelde zachtjes een verwensing aan haar adres.

„Trek het je niet aan," suste Colette. „Wat stelt het nou helemaal voor? Ze vergiste zich, punt uit."

„Ik vraag me af hoeveel mensen denken dat jij mijn dochter bent," zei Leo verbeten.

„Dat zal best wel meevallen. Het is zichtbaar dat jij ouder bent, maar zo erg is het nou ook weer niet. De meeste mensen weten wel beter."

„Dat kan ik alleen maar hopen."

„Je moet je daar niet zo druk over maken. In de ogen van andere mensen doe je het toch nooit goed, er zal altijd geroddeld worden. Als je je daar iets van aantrekt heb je geen leven meer."

Vanuit haar ooghoeken zag Colette dat het bewuste meisje druk met haar vrienden zat te fluisteren. Even later draaiden alle hoofden zich in hun richting. Een wat ouder stel aan het tafeltje ernaast zat aandachtig mee te luisteren, zag ze. Ook de vrouw van dat paar draaide zich om en keek naar haar en Leo. Ondanks haar stoere beweringen tegen haar man voelde Colette zich toch opgelaten onder deze ongewenste aandacht.

„Zullen we maar naar boven gaan?" stelde ze voor. „De muziek staat zo hard dat je amper een normaal gesprek kunt voeren en dansen doe jij toch niet." Ze wilde er een plagende opmerking achteraan maken dat hij daar te oud en te stijf voor was, maar ze slikte die woorden net op tijd in. Normaal gesproken zou ze zoiets gewoon gezegd hebben en zou Leo erom lachen, om haar daarna te bewijzen dat dat nog wel meeviel, maar onder deze omstandigheden leek het haar verstandiger om geen olie op het vuur te gooien. Hij zag er toch al zo gekwetst uit.

„Even mijn koffie opdrinken," zei Leo.

„Goed, dan ga ik nog even naar het toilet."

Colette liep naar de andere kant van de lounge, waar het gangetje was dat naar de toiletruimte leidde. Terwijl ze even later haar handen stond te wassen kwam de oudere vrouw binnen die haar net zo aandachtig op had zitten nemen. Ze knikte haar vriendelijk toe.

„Kind, mag ik je iets vragen?" begon de vrouw voorzichtig. „Sorry hoor, maar ik hoorde wat er net over jullie gezegd werd en ik wil je toch even waarschuwen."

„Waarvoor?" vroeg Colette verbaasd. Ze had geen flauw idee wat de vrouw bedoelde.

„Die man die bij je is... Het is niet je vader, begreep ik. Kijk uit, meisje. Zo'n man van middelbare leeftijd is natuurlijk heel aantrekkelijk in de ogen van een jong iemand als jij, maar pas maar op. Er zit meestal geen toekomst in, je wordt alleen maar gebruikt, ben ik bang. Wellicht is hij zelfs getrouwd en ben jij alleen maar goed om zijn ego op te krikken." Ze keek Colette zo trouwhartig aan na deze woorden dat die onmogelijk boos op het vrouwtje kon worden.

„Dat klopt, hij is inderdaad getrouwd," zei ze lachend. Ze hief haar rechterhand omhoog. „Met mij. We zijn op onze huwelijksreis."

Net als het meisje een half uur eerder, verschoot ook deze vrouw van kleur. „O, o. Dan eh... Dan heb ik niets gezegd." Schielijk schoot ze een toilethokje in.

„Het geeft niet. Ik vind het lief dat u me wilde waarschuwen," riep Colette haar na. Nog nalachend liep ze terug naar de lounge, waar ze Leo in geuren en kleuren vertelde wat haar zojuist overkomen was. Hij kon er niet om lachen.

„Waar bemoeit dat mens zich mee," siste hij kwaad. „Waar haalt ze het lef vandaan om zo'n oordeel over mij te vellen, alleen vanwege het simpele feit dat ik een jongere vrouw bij me heb? Ze is niet goed wijs!"

„Ik vond het wel lief," vergoelijkte Colette. Ze had al spijt dat ze het hem verteld had, ze had kunnen weten dat hij dit soort dingen niet bepaald vermakelijk vond. Zij maakte zich daar veel minder druk om. Leo en zij vormden nu eenmaal geen doorsnee stel en iedereen die ook maar enigszins van de ongeschreven normen afweek was het mikpunt van gekletst. Dat gold niet alleen voor hun situatie, maar ook voor vrouwen die met een buitenlander waren getrouwd of voor vrouwen die zestig uur per week werkten en hun kinderen naar de crèche brachten of voor mensen die heel bewust geen auto hadden vanwege het milieu. Het was nu eenmaal nooit goed.

Terwijl ze naar de liften liepen, knikte ze nog even naar de vrouw van het toilet, maar die draaide haar hoofd weg en deed net of ze het niet zag. Voor het eerst vroeg Colette zich nu serieus af of ze echt zo'n ongelijk stel vormden. Zelf zag ze dat helemaal niet. Leo was gewoon Leo. Ze kon hem wel eens ongenadig plagen met het feit dat hij zo'n stuk ouder was dan zij, maar een probleem zag ze daar niet in. Echt negatieve reacties hadden ze in hun omgeving ook niet gekregen, al werden er hier en daar wel wat wenkbrauwen opgehaald. Sommige mensen hadden haar voorzichtig gevraagd of ze wel wist waar ze aan begon, maar hun liefde voor elkaar straalde zo duidelijk van hen af dat eventueel negatief commentaar al snel verstomde. De mensen die hen kenden, gunden hun het geluk. Vreemden konden dat blijkbaar niet, die hadden hun oordeel onmiddellijk klaar. Dat stemde Colette verdrietig, tegelijkertijd voelde ze zich opstandig worden. Net als Leo even daarvoor vroeg ze zich af waar iedereen zich mee bemoeide. Al scheelden ze zestig jaar, daar had niemand iets mee te maken! Zolang zij gelukkig waren met elkaar, had niemand er iets over te zeggen.

„Het spijt me," zei Leo, eenmaal in hun kamer. „Ik had me onze laatste avond anders voorgesteld."

„Ik denk dat we zullen moeten wennen aan het feit dat we commentaar uitlokken."

„Dit had ik je graag bespaard." Hij trok de twee stoelen uit de kamer naast elkaar en ging zitten. Colette nam naast hem plaats. Zo zaten ze een tijdje zwijgend, hand in hand.

„Hoeveel ik ook van je hou, dit was juist één van de redenen waarom ik indertijd afstand wilde houden," zei Leo na een paar minuten.

Colette trok haar wenkbrauwen hoog op, zodat ze bijna onder haar donkere haren verdwenen. „Wat is dat nou voor onzin. Moeten wij dan allebei eenzaam en ongelukkig verder leven vanwege de mening van de buitenwereld?"

„Dat is het niet alleen. Hoe je het ook wendt of keert, liefste, ons forse leeftijdsverschil brengt problemen met zich mee."

„Daar hebben we het vaker over gehad. Ik hou van je, Leo, ongeacht je leeftijd. Ik wil mijn leven met jou doorbrengen," zei Colette ietwat ongeduldig. In het begin van hun relatie voerden ze regelmatig dit soort gesprekken, ze dacht dat ze dat tijdperk nu achter zich hadden gelaten.

„Maar hoe lang zal dat leven zijn?" vroeg Leo zich hardop af. „Als jij straks veertig bent, ben ik bejaard. Nu valt het verschil nog niet zo op, over een paar jaar is dat anders. Wat als ik hulpbehoevend word?"

„Hou op," zei Colette kortaf. Ze trok haar hand uit de zijne en keek hem boos aan. „Ten eerste wil ik daar helemaal niet over nadenken, ten tweede ben je een beetje te laat met dit soort argumenten. Tot de dood ons scheidt, weet je nog? Het is twee weken geleden dat we dat elkaar, ten overstaan van een heleboel mensen, beloofd hebben. Wat wil je nou dat ik zeg? Dat ik er vandoor ga als jij jezelf niet meer kan redden? Ik kan morgen wel onder een auto lopen en in een rolstoel belanden. Laat jij mij dan in de steek?"

„Natuurlijk niet," kwam zijn antwoord onmiddellijk.

„Nou dan. Als jij hulpbehoevend wordt, zal ik je verzorgen."

„Dat is nu net waar ik bang voor ben. Ik wil niet dat jij je leven vergooit als het ooit zover komt. Daar ben je dan nog veel te jong voor."

„Zullen we ons daar zorgen over gaan maken op het moment dat het aan de orde is en niet nu? Voorlopig zijn we allebei nog gezond en jij bent vitaal genoeg. Ik hoop toch niet dat je iedere keer dit soort gesprekken gaat voeren als iemand een opmerking maakt over ons leeftijdsverschil," zei Colette korzelig. „We hebben hier lang en breed over gepraat op het moment dat onze vriendschap veranderde in liefde. Ik heb bewust voor jou gekozen, met alles wat erbij hoort, dus ik wil er geen woord meer over horen."

„Soms vliegt het me ineens aan," bekende Leo. „Dan vraag ik me af wat ik je aan heb gedaan."

„Het enige wat jij doet is me liefde geven en daar ben ik alleen maar blij om. Laat je toch niet zo opjutten door de buitenwereld. Wat andere mensen denken is totaal onbelangrijk."

„Dat klinkt heel simpel, maar juist door die opmerkingen ga ik er weer over nadenken. Er zit een grond van waarheid in, Colet. Nu zijn we gelukkig en is er niets aan de hand, maar de toekomst is altijd dichterbij dan je denkt."

„Ik wil er niet meer over praten."

„Ik wel. Luister alsjeblieft naar wat ik te zeggen heb." Ondanks haar afwijzende blik pakte Leo opnieuw haar hand vast. Colette keek stug langs hem heen. „Je moet je nooit gedwongen voelen om bij me te blijven, zeker niet als ik van alles ga mankeren. Juist dan niet. We zijn man en vrouw, dat moet in de loop der jaren niet gaan veranderen in een patiënt/verzorgster relatie. Stel dat ik over tien jaar dement word of zo, dan ben jij nog jong genoeg om een nieuw leven op te bouwen, zonder mij."

„Dat wil ik helemaal niet." De tranen schoten ineens in haar ogen. Dit gesprek ging een hele andere kant op dan ze verwacht had.

„We moeten realistisch blijven," zei Leo ernstig. „Natuurlijk kan er ook van alles met jou gebeuren, zoals je net al zei, maar de kans dat ik straks verzorging nodig heb is nu eenmaal veel groter. Daar mag jij jezelf niet aan opofferen."

„Misschien mag ik dat tegen die tijd zelf bepalen?" Het klonk vinniger dan ze bedoelde. „We zijn getrouwd, misschien wil ik wel niets liever dan jou overal mee helpen."

„Zolang het je eigen keus is om te blijven, is daar uiteraard niets op tegen. Het gaat mij erom dat je je niet gevangen moet gaan voelen binnen ons huwelijk. Zodra er een moment komt dat je bij jezelf denkt dat je liever weg wilt gaan, doe dat dan. Ik zal het je nooit kwalijk nemen. Dat moet je me beloven, Colet. Ik voel me af en toe toch al zo bezwaard tegenover jou."

„Waarom in vredesnaam? Ik kan nooit meer gelukkiger worden dan ik nu ben."

„Dat betwijfel ik eigenlijk." Leo's gezicht versomberde. „Begrijp me niet verkeerd, ik dank de hemel op mijn blote knieën dat jij in mijn leven gekomen bent, maar ik vraag me wel eens af of ik wel de juiste man voor je ben."

„Ik hou van je," zei Colette voor de tweede maal.

„Dat weet ik, maar als je mij niet ontmoet had, was er ongetwijfeld een andere man gekomen waar je van was gaan houden. Een man van je eigen leeftijd, iemand waarmee je wél een gezin had kunnen stichten. Ik kan je geen kinderen geven en eerlijk gezegd zou ik ook geen kinderen meer willen krijgen nu. Er is een tijd geweest dat ik niets liever wilde dan vader worden, maar toen dat niet mogelijk bleek te zijn, heb ik me daarbij neergelegd en in de loop der tijd is die wens verdwenen. Ik kan me echter heel goed invoelen in wat het voor jou moet betekenen dat je nooit je eigen kind in je armen zult kunnen houden, zelf ben ik daar namelijk ook doorheen gegaan. Soms voel ik me schuldig omdat ik degene ben die jou dat onthoudt."

„Je zegt niets nieuws. Dit heb ik allemaal geweten voor ik volmondig ja tegen je zei. Ik wil jou, met alles wat bij je hoort."

„Dat denk je nu, maar dit zijn zaken die je van tevoren niet goed kunt overzien. Er kan een moment komen dat je er spijt van krijgt dat je met me getrouwd bent, omdat in de dagelijkse praktijk pas blijkt hoe het écht voelt," zei Leo.

„Garanties zijn er nooit. Wie weet krijg jij eerder spijt dan ik, want zo makkelijk ben ik ook niet," beweerde Colette met zelfkennis.

„Nooit," verzekerde Leo haar beslist.

„Kijk, dat is nu precies hoe ik er over denk."

Hij schudde zijn hoofd. „Begrijp je nu echt niet wat ik bedoel of doe je maar alsof?"

Colette stond op en nam zijn gezicht tussen haar handen. Ze keek hem innig aan.

„Lieve schat, we hebben dit soort onderwerpen uitgebreid besproken voordat je me überhaupt een huwelijksaanzoek hebt gedaan. Ondanks alles wat je aan hebt gevoerd, ben ik toch uit volle overtuiging met je getrouwd. Zegt dat niet genoeg? Bovendien is dit onze huwelijksreis. We zitten midden in onze wittebroodsweken, het laatste onderwerp waar ik het over wil hebben is het eventueel opbreken van ons huwelijk. Dat is net zoiets als praten over een schipbreuk terwijl je op volle zee zit, dat wil ook niemand.

We leven nu en we genieten nu van alles wat we hebben en dat is heel veel. Hoe de situatie er morgen uitziet, zien we dan wel weer." Als slot van haar betoog gaf ze hem een stevige zoen. Leo's armen gleden als vanzelf om haar middel.

„Wat een wijze woorden voor zo'n klein meisje," zei hij met een grijns.

„Ik ben verstandiger dan je denkt."

„Dat begin ik ook te geloven, ja. Maar toch wil ik..."

„St." Ze legde haar hand over zijn mond, zodat hij niet verder kon praten. „Jij wilt helemaal niets, behalve dit." Ze haalde haar hand weg, sloeg haar armen om zijn hals en zoende hem opnieuw.

„Dat is eigenlijk precies wat ik wilde zeggen," lachte hij voor hij haar kus met overgave beantwoordde.

HOOFDSTUK 3

Na hun huwelijksreis nam het leven zijn gewone gang weer. Colette moest toegeven dat het dagelijkse leven een stuk aangenamer voor haar was geworden nu ze haar goedkope huurflatje had verruild voor de riante woning van Leo, die hij betrokken had na zijn scheiding van Isa. „De meeste mannen gaan er na hun scheiding juist fors op achteruit wat woonruimte betreft," had ze opgemerkt toen ze dat huis voor het eerst had gezien.

„Ik vond dat ik wel wat luxe verdiend had na alle ellende die achter me lag," was Leo's antwoord daarop geweest. „Isa had me tot in het diepst van mijn ziel vernederd, ik was mijn beste vriend kwijtgeraakt en ik was door heel wat verdriet heengegaan. Een armoedig kamertje betrekken was wel het laatste dat ik wilde, dan was ik waarschijnlijk helemaal depressief geworden. Dit huis was precies wat ik graag wilde en het ligt vlakbij de zaak. Bovendien kan ik het me veroorloven. Veel mensen vinden het macaber dat ik een uitvaartonderneming heb, maar het verdient goed."

Het was inderdaad een prachtig huis en van alle gemakken voorzien, maar Colette vond het vooral prettig dat hij er nooit met Isa had gewoond. Ze zou niet graag ingetrokken zijn in de woning waar haar voorgangster had geleefd en die door haar was ingericht en gestoffeerd. Nu stonden er alleen wat meubelstukken die Leo voor zichzelf had aangeschaft en kon zij haar eigen stempel op het huis drukken. Alles wat hem aan zijn mislukte huwelijk had herinnerd, had hij al weggedaan voor hij Colette leerde kennen, zodat ze samen echt opnieuw konden beginnen, zonder spoken uit het verleden. Leo praatte niet graag over zijn tijd met Isa, Colette wist echter zo ook wel dat hij diep gekwetst was door haar. Hij had haar dan ook resoluut uit zijn leven verbannen, al waren de littekens nog steeds aanwezig. Mede dankzij zijn ex was Leo bezitterig en snel wantrouwig, iets wat in het begin van zijn relatie met Colette nogal wat problemen had opgeleverd, maar waar hij nu redelijk mee om kon gaan. Zij op haar beurt had begrip voor zijn soms jaloerse buien en hield er rekening mee. Ze plaagde hem er wel eens mee dat hij mazzel had met haar baan, want in haar werk als schoonheidsspecialiste in een salon kwam ze voornamelijk met vrouwen in aanraking, al wisten een aantal mannen tegenwoordig de weg ook wel te vinden voor een behandeling aan hun gezicht.

In overleg met Leo was Colette na hun huwelijk parttime gaan werken. Het had haar heerlijk geleken om wat meer vrije tijd te hebben en rustig de noodzakelijke klussen in huis te kunnen doen zonder dat ze in de stress schoot omdat ze het zo druk had. De eerste maanden beviel het haar ook wonderwel. Naast de achttien uur die ze in de salon doorbracht, had ze alle tijd om hun huis helemaal naar haar zin te maken en kwam ze eindelijk eens aan haar hobby's toe. Ze werd lid van een badmintonvereniging en bracht minimaal één ochtend per week door in het zwembad. Ook de stapel ongelezen boeken op haar nachtkastje, die in de loop der tijd behoorlijk gegroeid was, slonk nu ze af en toe een middag lui lezend op bank doorbracht. Vroeger had ze daar naast haar fulltime baan en de zorg voor haar ziekelijke moeder nooit tijd voor gehad en ze genoot er dan ook met volle teugen van.

Na een tijdje begon het haar echter op te breken. Zelfs

lezen ging vervelen, ontdekte ze. Het huis was inmiddels helemaal klaar en ze begon zich rusteloos te voelen. Om de verveling tegen te gaan begon ze zich toe te leggen op het klaarmaken van uitgebreide maaltijden, maar dat schonk haar niet genoeg voldoening. Ze was te jong voor een parttime baantje en verder niets, bedacht ze. Op deze manier zat er geen uitdaging meer in haar leven. Sommige vriendinnen benijdden haar om haar relaxte leventje waarin ze kon doen en laten wat ze wilde, maar het bevredigde Colette niet. Ze was vijfentwintig, veel te jong om zich nu al af te vragen of dit alles was wat het leven haar bood en toch kwam die gedachte regelmatig bij haar op. Ze had ook niet het vooruitzicht van een paar kinderen, die een hele andere invulling aan haar dagen zouden geven. In een sombere bui bedacht ze wel eens dat het nooit meer zou veranderen, dat het voortaan altijd zou gaan zoals het nu was. Geen gezin, een half baantje en teveel vrije tijd. Geen aanlokkelijk vooruitzicht, hoe aantrekkelijk het voor andere, druk bezette mensen, misschien ook klonk. Met het voortkabbelen van de weken voelde zij zich echter knap nutteloos.

„Zoek er dan wat hobby's bij," adviseerde Leo haar op een ochtend bij het ontbijt.

„Wat heb ik nou aan een hobby? Nog een hobby?" zei Colette narrig. Zuchtend schoof ze haar bord, met daarop nog een halve boterham, van zich af. „Ik heb al teveel hobby's. Dat is nou net het probleem, die vullen mijn dagen niet. Ze houden me hoogstens even leuk bezig."

„Wat wil je dan?" vroeg Leo ongeduldig.

„Een kind." Het was eruit voor ze het besefte. Gek, dat een losse gedachte zo zijn eigen weg kon gaan. Ze had zichzelf nog niet eens gerealiseerd dat ze daar zo mee bezig was.

„Ach nee, dat meen ik niet," zei ze er dan ook snel achteraan.

„Dat mag ik hopen," merkte Leo kalm op. Met uiterste precisie veegde hij met een servet zijn mond schoon, daarna pakte hij zijn koffiekopje op en nam hij langzaam een slok.

„Vergeet maar dat ik dat gezegd heb, het slaat nergens op," zei Colette.

„Blijkbaar is het toch iets waar je naar verlangt, als je het er zo uitflapt. Het spijt me dat ik het zeggen moet, maar als een kind het enige is wat je gelukkig kan maken, ben je met de verkeerde man getrouwd."

„Zeg alsjeblieft niet van die rare dingen," verzocht Colette.

„Ik?" Hij trok zijn wenkbrauwen hoog op.

„Leo, hou op. Ik weet zelf ook wel dat het onmogelijk is, ik begrijp ook niet waarom ik het zei. Waarschijnlijk gewoon uit verveling of onvrede. Ik voel me zo nutteloos."

„De enige die daar iets aan kan veranderen ben je zelf," meende Leo. „Ga dan weer fulltime werken, volg een studie, ga vrijwilligerswerk doen. Een mens hoeft zich niet te vervelen, dat ligt helemaal aan jezelf."

„Je hebt gelijk." Plotseling resoluut begon Colette de ontbijttafel af te ruimen. „Ik moet gewoon weer volledig aan de slag in plaats van die paar uur per week. Gewoon meedraaien in de maatschappij en niet zeuren. Wat stom, het is zo'n simpele oplossing. Waarom heb ik daar zelf niet aan gedacht?"

„Gelukkig heb je mij." Leo lachte alweer, tot Colettes opluchting. Haar ondoordachte opmerking had hem niet onberoerd gelaten, dat had ze wel gemerkt. Waarom had ze dat dan ook gezegd? Wellicht zat haar kinderwens toch dieper dan ze zelf toe wilde geven. Leo was daar van het begin af aan al bang voor geweest en had haar daar voor hun huwelijk vaak genoeg op gewezen, toch had ze uit volle overtuiging de keus gemaakt om met hem te trouwen. Ze wilde liever hem dan een eigen kind en zo dacht ze er nog steeds over. Het was hem echter niet kwalijk te nemen dat hij gemengde gevoelens had als ze dergelijke dingen zei.

„Praat er straks direct met Lindy over," zei Leo voordat hij naar zijn werk ging.

Lindy Weerterbergen was de eigenaresse van de schoonheidssalon waar Colette werkte. Privé zagen of spraken ze elkaar nooit, toch was er in de jaren dat Colette er nu werkzaam was een band tussen de twee vrouwen ontstaan die veel weg had van vriendschap.

„Ik zou je graag helpen," zei Lindy dan ook nadat Colette haar hart bij haar had uitgestort. Emily van Soest, de medewerkster die Lindy aan had genomen op het moment dat Colette parttime ging werken, was met een klant bezig en hoorde niets van het gesprek, wat in het kantoor van Lindy werd gevoerd. „Maar ik kan je onmogelijk terugzetten op een fulltime baan. Zoveel werk is er eenvoudigweg niet. Met zijn tweeën konden we het net redden en nu Emily hier een volledige baan heeft en jij die achttien uur werkt verloopt het allemaal uitstekend. Het is niet rendabel om jou meer uren te laten draaien."

„Daar was ik al bang voor," knikte Colette somber. „Heel jammer, maar dan ga ik toch op zoek naar ander werk. In de loop der maanden is wel gebleken dat zo'n halve baan niets voor mij is. Ik verveel me af en toe te pletter."

„Ik dacht dat je het juist zo prettig vond om meer tijd te hebben nu je ook een huishouden draaiende moet houden," merkte Lindy op.

„Dat was ook zo, in het begin. Tegenwoordig gaat het me steeds meer tegenstaan. Ik ben er het type niet naar om voortdurend mijn huis te soppen. Schoonmaken is geen hobby van me, daar ben ik nu wel achter. Kinderen zullen er nooit komen, dus die dubbele belasting, waar veel buitenshuis werkende moeders het over hebben, valt bij mij wel mee."

„Vind je dat jammer?" vroeg Lindy rechtstreeks.

„Dat wist ik van tevoren," antwoordde Colette luchtig. „Dat vroeg ik niet."

„Ik vind het geen al te prettige gedachte," bekende Colette. „Aan de andere kant weet ik precies waar ik aan toe ben. Er zijn zat vrouwen die na jarenlang proberen en dokteren pas tot dezelfde conclusie komen, dat lijkt me veel erger. Het is ook niet zozeer het gemis van een kind wat voor een leegte in mijn leven zorgt. Ik heb gewoon te weinig om handen. Ik moet iets gaan doen, een doel hebben waar ik me op kan richten."

„Als vervanging van een gezin," begreep Lindy.

„Als invulling van mijn leven," verbeterde Colette haar. „Een kind krijgen is op zich geen doel. Ook als je wel moeder wordt, moet je er andere bezigheden bij hebben, maar als je zeker weet dat dat nooit gaat gebeuren word je gek als er niet iets ter compensatie is. Kijk naar jezelf: jij hebt ook geen kinderen, maar deze salon is alles voor je. Je hebt keihard gewerkt om een eigen bedrijf op poten te zetten en je zet je nog steeds voor honderd procent in omdat je van deze zaak houdt. Zoiets wil ik ook. Niet direct een eigen bedrijf, maar iets waar ik me helemaal op kan storten."

„Een passie."

Colette knikte. „Als je het zo wilt noemen, ja."

„En alleen je werk is niet genoeg?"

„Niet helemaal." Colette aarzelde even voor ze verder ging. „Ik hou van mijn werk, maar de gedachte dat er nooit iets anders zal zijn dan dit benauwt me."

„Toch wil je een andere baan zoeken. Ook als schoonheidsspecialiste, neem ik aan," constateerde Lindy.

„In ieder geval wil ik eerst weer een fulltime baan, daarna kan ik altijd op mijn gemak gaan bekijken wat ik verder wil. Als ik maar iets te doen heb."

„Dat lijkt mij een verkeerde volgorde," merkte Lindy bedachtzaam op. „Al zeg ik dat natuurlijk ook uit eigenbelang. Ik wil je niet graag kwijt, Colet."

„Ik zou ook het liefst hier blijven, alleen niet voor slechts die achttien uur. Het spijt me, waarschijnlijk had ik dit eerder moeten bedenken. De beslissing om parttime te gaan werken heb ik veel te ondoordacht genomen."

Lindy knikte peinzend. „En een baan erbij voor de overige uren?" opperde ze. „Of nee, een cursus!" Ineens veerde ze overeind. „Waarom ga je geen speciale opleiding voor visagiste doen? Daar heb ik je vaker over gehoord, voordat Leo in je leven kwam en je verloren was voor de mensheid."

Colette maakte een minachtend gebaar met haar elleboog. „Ik zal maar net doen of ik dat laatste niet heb gehoord en me alleen op het eerste deel van je opmerking concentreren. Dat klonk tenminste zinnig. Daar zit inderdaad iets in, Lin."

„Het is de perfecte oplossing," meende Lindy onbescheiden. „Ten eerste heb je dan weer iets te doen, ten tweede kun je het geleerde hier in de salon ook in de praktijk brengen en ten derde kan je daar straks alle kanten mee op. Wellicht kun je na die opleiding als freelancer aan de slag, naast je baan hier. Als je goed bent in je vak is daar altijd een markt voor. Het tijdschrift waar ik die beauty-rubriek voor doe, werkt ook met freelancers voor de fotoshoots."

„Dat klinkt zeker niet gek." Colettes ogen begonnen te glinsteren bij dit nieuwe vooruitzicht. Ze was inderdaad altijd van plan geweest om zich verder te specialiseren in haar vak, maar omdat haar moeder ziek werd en zij de enige was om haar te verplegen, was dat naar de achter-grond geschoven. Meteen na het overlijden van haar moe-der leerde ze Leo kennen en had haar werk ineens niet meer zo'n grote plek in haar leven ingenomen. Het beste gedeelte van dit plan was nog wel dat ze, in ieder geval voorlopig, bij Lindy kon blijven werken. Colette had het hier naar haar zin en het had haar helemaal niet aange-trokken om in een andere salon opnieuw te moeten begin-nen.

Met open ogen droomde ze over de mogelijkheden. Het idee van Lindy om te gaan freelancen en daarnaast haar baan hier te houden, trok haar bijzonder aan. Dan had ze aan de ene kant wat vastigheid en de zekerheid van een regelmatig inkomen en aan de andere kant de spanning of ze genoeg opdrachten binnen kon halen. Bovendien kon ze als freelancer voor een groot gedeelte haar eigen tijd bepalen. Dan zou ze vast ook wel eens 's avonds moeten werken of in het weekend, maar daarentegen zou ze dan op andere uren vrij zijn. In ieder geval was het veel afwis-selender dan een vaste baan. Ze kon dan proberen om opdrachten via een tijdschrift te krijgen, zoals Lindy net had gezegd, of zichzelf verhuren als visagiste voor brui-loften of werken bij de televisie. Of allemaal tegelijk. Er lag ineens een wereld vol mogelijkheden in het vooruitzicht, bedacht ze opgewonden. Ze kon haast niet wachten om die mogelijkheden te bekijken en verder uit te werken.

Voor ze daar echter de kans voor kreeg, vloog de deur van het kantoortje open.

„Zijn jullie doof of zo?" vroeg een nijdige Emily. „Ik heb al drie keer geroepen. Mevrouw van Dam is er voor haar gezichtsbehandeling en mevrouw Dekkers heeft een afspraak om permanente make-up aan te laten brengen."

„We komen eraan." Lindy stond meteen op, Colette gebarend dat ze aan de slag moest.

Hoewel Colette uiterst nauwkeurig de wimpers van mevrouw Dekkers verfde en daarna een donker streepje onder haar ogen aanbracht, had ze haar aandacht er niet echt bij. Haar handen werkten op de automatische piloot, haar gedachten dwarrelden echter alle kanten op. Ze zag zichzelf al de make-up verzorgen voor een televisieprogramma. Onder de felle lampen hadden mensen veel meer nodig dan normaal gesproken het geval was. Ook mannen werden opgemaakt voor de camera hen in beeld nam, wist ze. Dat zou al weer een hele nieuwe uitdaging voor haar zijn. In de salon kwamen af en toe ook mannen, maar niet voor make-up. Meestal kwamen ze alleen om een onzuivere huid te laten reinigen of om extreme haargroei te laten verwijderen, een specialiteit van Lindy.

Het was haar bedoeling geweest om onderweg naar huis de boodschappen te halen, dat plan liet ze nu echter varen. Ze wilde zo snel mogelijk thuis achter haar computer gaan zitten om te onderzoeken welke opleidingen er op dat gebied waren. Na enig speurwerk op internet was ze al heel wat wijzer geworden. Met haar vooropleiding en niet te vergeten haar ervaring in de salon zou het haar absoluut geen moeite kosten om de cursus tot visagiste te volbrengen. Ze kon het in een half jaar gedaan hebben, zag ze, en dan kostte het haar maar een paar uur per week. Verder scrollend over het beeldscherm zag ze ook een cursus hairstyling, waar ze ook maar meteen de informatie van opvroeg. Ze werd steeds enthousiaster naarmate ze meer over de diverse cursussen te weten kwam. Na een aantal vergelijkingen tussen de opleidingen onderling was ze eruit. Niet alleen ging ze visagie doen, maar ook hairstyling én nagelstyling. Dat lag allemaal binnen haar vakgebied, dus ze vermoedde dat ze er weinig moeite mee zou hebben. In een jaar tijd kon ze met alle drie de cursussen klaar zijn. Het betekende wel flink aanpoten, omdat Colette ze tegelijkertijd wilde volgen, maar dat vond ze geen bezwaar. Lekker druk bezig zijn en hard werken was immers precies wat ze wilde en wat ze miste in haar huidige bestaan. Bij het binnen proberen te halen van opdrachten zou het ongetwijfeld in haar voordeel werken dat ze zich niet op één aspect van het vak richtte, maar dat ze van verschillende markten thuis was. Ze liet er geen gras over groeien en schreef zich meteen in. Omdat ze drie opleidingen tegelijk ging doen, kreeg ze ook nog een leuke korting, werd haar via het beeldscherm meegedeeld.

Zodra Leo thuiskwam liep ze hem enthousiast tegemoet.

„Ik heb geweldig nieuws!" riep ze.

„Laat me raden, je kunt weer fulltime aan de slag in de salon," veronderstelde Leo.

„Veel beter. Ik ga een aantal opleidingen doen en daarna ga ik als freelancer aan de slag," vertelde Colette triomfantelijk. Ze keek hem stralend aan. „Het was een ideetje van Lindy. Zij verzorgt ook de beautyrubriek van een tijdschrift en volgens haar kunnen ze altijd goede vakmensen gebruiken. Ik heb me net ingeschreven voor visagie, hairstyling en nagelstyling."

„Ho, ho, ga je nu niet ineens erg snel?"

„Ik ben veel te blij dat ik weer een doel heb." Uitgelaten danste Colette door de kamer. „Nu heb ik tenminste weer wat te doen."

„Ik hoop dat het je bevalt," wenste Leo. „Wat eten we eigenlijk?"

Midden in een danspasje bleef Colette staan. „Geen idee," bekende ze. „Ik ben zo druk geweest met informatie zoeken dat ik daar totaal niet meer aan gedacht heb. De boodschappen zijn er ook bij ingeschoten."

„Je beklaagt je dus over het feit dat je niets te doen hebt, maar ondertussen verwaarloos je je echtgenoot?" beklaagde Leo zich.

„Ach, arme schat. Ik zal het goed met je maken," beloofde Colette terwijl ze haar armen om zijn nek heen vouwde. „Vanavond neem ik jou eens mee uit eten. Hoe vind je dat?"

„Hm. Een etentje buiten de deur klinkt goed, maar ik betaal," stelde Leo als eis.

Colette schoot in de lach. „Alsof dat wat uitmaakt. We hebben één bankrekening, alles gaat van de grote hoop."

„Het gaat om het idee," vond Leo.

Plagend prikte ze hem in zijn buik. „Je bent bang wat de mensen zullen denken als ik de rekening betaal. Dit is de eenentwintigste eeuw, lieverd, je zult wat moderner moeten worden."

„Daar heb ik helemaal geen behoefte aan. Word jij maar wat conservatiever."

„Geen schijn van kans," grinnikte Colette. „Integendeel, ik

word straks eigen ondernemer als ik voor mezelf op jacht ga voor opdrachten. Wacht maar, straks verdien ik meer dan jij," schepte ze op.

„Als dat zou kunnen," hoopte Leo met haar mee. „Dan ga ik wel wat minder werken. Op één voorwaarde natuurlijk."

„En die is?" vroeg Colette nieuwsgierig.

„Die ene bankrekening blijft en ik betaal als we ergens heengaan," antwoordde Leo lachend. „Nou, zelfstandige vrouw, kleed je om, dan gaan we. Ik rammel van de honger."

HOOFDSTUK 4

Het werd een hele klus voor Colette om in een jaar tijd alle drie de cursussen af te ronden, maar ze was zo blij dat ze weer bezig was dat ze daar geen probleem van maakte. De ochtenden werkte ze in de salon, de middagen besteedde ze aan haar huiswerkopdrachten. Het scheelde dat ze veel aspecten al geleerd had tijdens haar studie voor schoonheidsspecialiste en ze had het voordeel dat ze veel van het geleerde direct in de praktijk kon brengen bij de vrouwen in de salon. Veel van haar vaste klanten vonden het helemaal niet erg om even als proefkonijn te fungeren, vooral omdat het voor hen gratis was. Het vinden van een mannelijk model was moeilijker. Leo had ronduit geweigerd om aan zich te laten prutsen, zoals hij het noemde.

„Huidverzorging is voor mannen net zo belangrijk als voor vrouwen," sputterde Colette tegen.

„Ik was me iedere dag, ik scheer me en ik doe aftershave op, dat vind ik meer dan genoeg," zei Leo echter beslist. „Al die onzin hoeft voor mij niet."

„Het zou schelen in je rimpeltjes als je mij er eens op los zou laten," beweerde Colette echter. Dat was tegen het zere been aan. Leo was niet ijdel, maar de lijnen in zijn gezicht herinnerden hem telkens aan het leeftijdsverschil tussen hem en Colette en daar werd hij wel eens onzeker van. Diep in zijn hart was hij bang dat ze hem ooit zou verlaten voor een jongere man, een angst die hij niet openlijk wilde laten merken.

„Als die rimpels je niet bevallen kijk je er maar niet naar," zei hij kortaf.

Colette was er wijselijk verder niet op ingegaan. Het verschil in leeftijd was nu eenmaal Leo's achilleshiel en daar hield ze rekening mee. Waarschijnlijk had het voor haar ook gevoeliger gelegen als zij bijvoorbeeld tien jaar ouder was geweest dat hij, dacht ze verstandig. Ze reageerde dan ook zelden als hij dergelijke opmerkingen maakte. Uiteindelijk vond ze een gewillig slachtoffer voor haar praktijkervaring in de persoon van Simon van Soest, de man van haar collega Emily. Een rustige, laconieke man die het helemaal geen probleem vond om Colette regelmatig een avond aan zijn gezicht en zijn haren te laten zitten.

„Zolang je maar geen nepnagels bij me aanmeet," was de enige voorwaarde die hij gesteld had.

Met al deze bezigheden vloog de tijd om. Het huishouden raakte wel eens in de knel en het maken van een gezonde avondmaaltijd schoot er regelmatig bij in, maar dat waren zaken waar zowel Colette als Leo geen probleem van maakten. Wat dat betrof had ze het getroffen met haar echtgenoot, dacht Colette wel eens. Ondanks zijn leeftijd was hij in dat opzicht moderner dan veel mannen van rond de dertig, die er vaak conservatieve ideeën op na hielden als het over het huishouden ging. Ze vonden het allemaal prima als hun vrouw een betaalde baan had, maar staken zelf thuis geen hand uit en klaagden als er geen schone sokken meer in hun la lagen. Colette hoorde in de salon vaak genoeg dit soort verhalen van haar klanten aan om te beseffen dat Leo op dat gebied erg vooruitstrevend was voor iemand van zijn generatie. Ze hoefde hem ook nooit te vragen of hij iets wilde doen. Hij zag zelf wanneer de vaatwasser leeggehaald moest worden of wanneer de vloer toe was aan een dweilbeurt en deed het dan ook meteen. Alleen koken was iets wat hij weigerde te doen. Als Colette er geen tijd voor had aten ze brood of een kant en klare maaltijd en als dat ook niet voorradig was gingen ze uit eten of bestelden ze een pizza. Colette zorgde er in ieder geval voor dat er altijd fruit in huis was voor hun broodnodige vitamines.

In ieder geval haalde ze weer voldoening uit haar dagelijkse bezigheden, bovendien lonkte in de verte het doel waar ze naar toe werkte. Alles lag weer open voor haar. De wetenschap dat ze nooit een eigen kind zou krijgen, was lang zo schrijnend niet meer nu ze iets had om zich op te richten. Tussen Leo en haar ging alles uitstekend, ze had dan ook nog geen seconde spijt gehad van haar huwelijk. Leo's neiging om de verschillen tussen hen en de kleine ruzies die dat soms met zich meebracht, terug te voeren naar hun leeftijdsverschil was iets waar ze om lachte. Zij tilde daar nog steeds niet echt aan. Ze was realistisch genoeg om te beseffen dat een samengaan van twee mensen altijd gepaard ging met onderlinge meningsverschillen, ruzies en irritaties. Ook als die twee mensen van dezelfde leeftijd waren, dezelfde achtergrond hadden en dezelfde interesses deelden. Dat was ook niet erg, zolang de goede momenten maar in de meerderheid waren en bij hen was dat nog steeds zo. Ze was gelukkig en daar ging het om.

Precies op de dag dat Colette en Leo anderhalf jaar getrouwd waren, ontving ze de certificaten als bewijs dat ze de diverse cursussen met goed gevolg had afgelegd.

„Reden voor een etentje," vond Leo. Hij kuste haar. „Ik ben trots op je."

„Zonder jouw hulp had ik het niet zo snel gered," zei Colette.

„Wat bedoel je? Ik heb er niets aan gedaan, dit is helemaal je eigen verdienste."

Colette schudde haar hoofd. „Niet helemaal. Oké, ik mocht niet oefenen op jou en je hebt nooit geholpen met mijn huiswerk of zo, maar je hebt me veel werk in huis uit handen genomen en je hebt niet één keer geklaagd als er 's avonds geen eten op tafel stond omdat ik het te druk had om te koken."

„Alsof dat nut gehad zou hebben," zei Leo met een brede grijns. „Ik ken jou een beetje, dat had alleen maar tot ruzie en stress geleid."

„En terecht," grinnikte Colette. „Ik ga van het standpunt uit dat mannen en vrouwen evenveel rechten én plichten hebben als het gaat om de taakverdeling. Samen werken betekent ook samen de boel draaiende houden, maar ik kan me voorstellen dat dit voor jou anders ligt."

„Omdat ik zoveel ouder ben, bedoel je?" Er trok een wolk over zijn gezicht.

„Nee, omdat Isa geen baan had en het volledige huishouden deed," verbeterde Colette hem kalm. „Dat heb je me zelf verteld. Je had makkelijk uit kunnen groeien tot zo'n dominante, verwende man die niet eens weet waar de wasmand staat en die denkt dat zijn overhemden vanzelf gewassen en gestreken de kast weer in kruipen."

„Toch was dat wel makkelijk," gaf hij met een scheef lachje toe. „Ik moet eerlijk bekennen dat het vele voordelen heeft als je vrouw geen baan buitenshuis heeft. Als ik 's avonds uit mijn werk kwam, kon ik zo aanschuiven aan de gedekte tafel en na het eten kon ik ongestoord mijn krant lezen en werd mijn koffie aangereikt."

„Dan ben je er met mij behoorlijk op achteruit gegaan," lachte Colette.

Plotseling serieus trok hij haar in zijn armen. „Wil je dat nooit meer zeggen? Ik zegen de dag dat ik jou tegen ben gekomen. Juist ook door alle drukte en het andere ritme waar ik nu in zit. Als mijn huwelijk met Isa niet stukgelopen was, was ik nu zo'n oude, bezadigde man geweest die naast zijn werk niet meer uit zijn stoel te branden is. Een potentaat die overal commentaar op heeft en die nooit tegenspraak krijgt omdat zijn vrouw geen eigen mening heeft. Met jou heb ik een gelijkwaardige relatie en dat is me duizend keer meer waard dan iedere avond een warme prak."

„Toch vind ik het knap dat je zo om hebt kunnen schakelen. Menig jongere man zou daar veel meer moeite mee gehad hebben."

„Ik ben nog niet zo oud dat ik geen veranderingen meer aandurf, ik zit niet vastgeroest," zei Leo strak.

Colette zuchtte licht. Ze werd er wel eens moe van dat Leo alles betrok op zijn leeftijd. Aan de ene kant deed hij alles om te bewijzen dat hij jong genoeg was voor haar, aan de andere kant maakte hij voortdurend opmerkingen over het feit dat hij zoveel ouder was. Voor haar hoefde hij niets te bewijzen. Ze hield van hem zoals hij was, met al zijn goede en zijn slechte kanten. Zoals ze hoopte dat hij ook van haar hield. Zijn leeftijd stond daar helemaal buiten, maar op de een of andere manier leek hij dat niet te geloven. Misschien was het onzekerheid omdat hij niet kon geloven dat een vrouw die de helft jonger was dan hij verliefd op hem geworden was. Colette voelde zich bij Leo echter meer op haar gemak dan bij de meeste mannen van haar eigen leeftijd. Bij Leo kon ze helemaal zichzelf zijn.

Met de armen om elkaar heen geslagen slenterden ze

vanaf de parkeerplaats naar hun favoriete restaurant. Ondanks dat het geen weekend was, was het druk. Zoekend keek Leo om zich heen of hij een leeg tafeltje zag.

„Leo," hoorde hij ineens. „En Colette. Wat een verrassing." Lennard Zoutenbier, de vader van Colette, doemde ineens achter hen op. Hij schudde Leo's hand en gaf Colette een koele kus op haar wang. „Kom bij ons zitten, wij hebben een tafel voor vier personen." Hij gaf de ober een wenk en onmiddellijk werden er op het bewuste tafeltje twee couverts bij gelegd. Met tegenzin schoof Colette aan. Ze had er totaal geen behoefte aan om met haar vader en zijn nieuwste verovering te eten, maar ze kon moeilijk weigeren zonder opzien te baren. Bovendien was er verder geen plek. Haar stille hoop dat haar vader en zijn vriendin al aan het nagerecht toe waren, verdween op het moment dat de ober hen alle vier een menukaart overhandigde en haar vader de wijn bestelde.

„Wat een onverwacht genoegen," zei Lennard daarna charmant. „Maar ik vergeet mijn manieren. Mag ik even voorstellen? Rachel, dit is mijn dochter Colette met haar man Leo. Dit is Rachel."

„Lennards vriendin," voegde Rachel daar zelf snel aan toe. „Dat had ik al begrepen," zei Colette kort. Ze kon niet anders doen dan de jonge vrouw haar hand schudden. Terwijl ze ogenschijnlijk aandachtig de menukaart las, keek ze met een schuin oog naar haar. Rachel was een kopie van de eerdere vriendinnen van haar vader. Jong, blond en dom, was haar onbarmhartige oordeel. Jonger dan zijzelf was, in ieder geval. Zoals gewoonlijk. Kritisch wierp ze een blik op haar vader. Hij was zeker niet onknap, toch begreep ze niet wat al die grietjes in hem zagen. Waarschijnlijk zijn charme, zijn zelfvertrouwen en zijn air van een man van de wereld. Zij keek daar dwars doorheen, iets wat Rachel blijkbaar niet kon. Maar zij kende hem natuurlijk ook van een hele andere kant. Voor haar was hij niet de aantrekkelijke, oudere man die het gemaakt had in het leven, maar de man die zijn vrouw en kind had verlaten omdat hij de verantwoording voor een gezin niet aankon. De vader die nooit vader had willen zijn en daar ook geen enkele moeite voor gedaan had. Ze voelde geen respect voor hem, laat staan de aanbidding die uit de ogen van deze Rachel straalde wanneer ze naar hem keek. Het contact tussen hen was sporadisch en oppervlakkig en daar was Colette niet rouwig om. Deze man was haar verwekker, verder had ze helemaal niets met hem. Die constatering gaf haar een vreemd, leeg gevoel.

Als reactie op Rachel, die kirrend beweerde dat ze alleen een stukje witte vis en een salade zonder dressing wilde en zeker geen voorgerecht of dessert, omdat ze anders te dik werd, bestelde Colette een garnalensalade, een flink stuk vlees met champignonsaus en een extra portie gebakken aardappeltjes.

„Als toetje ga ik voor de chocolademousse met slagroom," zei ze.

Rachel keek haar aan met een blik of ze niet goed wijs was en Colette daagde haar met haar ogen uit om er iets van te zeggen, iets wat Rachel overigens niet deed. Terwijl de andere drie zwijgend hun voorgerecht aten, dronk zij slechts een glas water.

„Wat zie je in vredesnaam in haar?" barstte ze tegen haar vader uit toen Rachel zich excuseerde en heupwiegend in de richting van de toiletten liep.

„Dat lijkt me duidelijk." Hij keek haar met een wellustige

blik na. „Moet je eens zien wat een fantastisch lijf."

„Dat mag dan ook wel, ze eet als een zieke kip," merkte Colette cynisch op.

„Rachel is danseres, ze zorgt goed voor zichzelf," wees hij haar terecht. „En met succes, mag ik wel zeggen. Ze ziet er geweldig uit."

„En is dat genoeg? Ik bedoel, is dat het enige criterium wat jij voor je vriendinnen aan de dag legt? Behalve dan dat ze net uit de luiers moeten zijn natuurlijk. Bah, ik walg hiervan, weet je dat? Je schijnt te vergeten dat jij steeds ouder wordt, je maakt jezelf volkomen belachelijk op deze manier." Colette schudde de hand van Leo, die hij kalmerend op haar arm legde, van zich af. „Je bent het prototype van een man die bang is om ouder te worden en die zich daarom omringt met jonge, knappe vrouwen. Je gebruikt ze gewoon als statussymbool. Ik begrijp die kinderen niet. Wat bezielt ze in vredesnaam om met een man van middelbare leeftijd om te gaan? Gaat het om je geld?"

„Ik weet het niet. Vertel jij het me maar," zei Lennard koeltjes terwijl hij zijn bestek neerlegde. Hij keek veelbetekenend van Leo naar haar. „Jij moet het weten."

„Dat is heel iets anders. Leo en ik houden van elkaar."

„En volgens jou is het onmogelijk dat Rachel van mij houdt?"

„Dergelijke types zijn alleen verliefd op zichzelf, ze doen niets zonder achterliggende redenen."

„Colet, hou op. Hier bereik je niets mee," zei Leo kalmerend. „Je kent Rachel niet, je kunt niet zomaar een oordeel vellen."

„Ik ken mijn vader, dat is genoeg," reageerde Colette sarcastisch. Met een gebaar vol walging schoof ze het schaaltje garnalen van zich af, ze had ineens geen honger meer.

Lennard was bleek geworden onder zijn zonnebankbruine huid. „Je durft heel wat te zeggen," zei hij hees. „Je schijnt te vergeten dat ik nog altijd je vader ben."

„Mijn vader?" Ze lachte honend. „Mijn verwekker, oké, maar dat is dan ook alles. Bij een vader stel ik me iets heel anders voor, namelijk een man die er is voor zijn kinderen. Een man die zijn verantwoording neemt en die zijn kinderen verzorgt en opvoedt. Iemand die zijn gezin in de steek laat en vervolgens amper iets van zich laat horen en die het zelfs te veel moeite vindt om langs te komen op de verjaardag van zijn dochter, kan ik geen vader noemen."

„O, dus hier gaat het om? Het eeuwige verwijt van de jeugd dat hun ouders het niet goed gedaan hebben?" Lennards gezicht verstrakte. „Dat refrein kent iedereen wel, denk ik. Daar ben ik niet van onder de indruk."

„Ze heeft anders wel gelijk," nam Leo het nu voor zijn vrouw op. Zijn ogen weken niet voor die van de man tegenover hem.

„Wat is er aan de hand? Heb ik iets gemist?" Rachel, inmiddels terug van haar bezoek aan het toilet, waar ze haar make-up overdadig opnieuw had aangebracht, keek van de één naar de ander. „Hebben jullie ruzie?"

Het was zo'n onnozele vraag dat Colette schamper lachte. „Hoe kom je erbij?" vroeg ze overdreven vriendelijk. „Gewoon een verschil van mening. Zoek maar in het woordenboek op wat dat betekent," voegde ze er hatelijk aan toe terwijl ze opstond. „Sorry, maar ik heb weer gegeten en gedronken. Ga je mee, Leo? Hier heb ik verder geen behoefte aan."

Zonder gedag te zeggen en zonder te kijken of Leo haar wel volgde liep ze in de richting van de garderobe. Leo snelde achter haar aan.

„Kom, dan gaan we even een stukje lopen voor we in de auto stappen," stelde hij voor nadat hij haar in haar jas geholpen had. Met zijn arm om haar schouder heen geslagen leidde hij haar mee naar het parkje achter het restaurant. Het was nog vroeg op de avond, de schemering begon net in te vallen. De dikke wolken boven de bomen hadden een zacht oranje gloed van de ondergaande zon. Colette ademde diep de frisse avondlucht in.

„Wat was dat nou ineens?" vroeg Leo zachtzinnig. „Het ene moment zitten we gewoon te eten en het volgende moment barst je ineens uit je voegen."

„Ik weet het niet," bekende Colette. „Ik werd gewoon ineens zo kwaad op hem. Mijn moeder heeft zich letterlijk kapot gewerkt om mij alles te geven wat ik nodig had terwijl hij flierefluitend door het leven heen wandelde en de ene na de andere vrouw aan zijn arm had hangen. Natuurlijk moet hij zelf weten hoe hij zijn leven inricht, maar ik walg ervan dat hij zo makkelijk over andermans gevoelens heen walst. Toen hij zei dat hij nog altijd mijn vader is, wat impliceerde dat ik respect voor hem moet tonen, werd het me teveel. Het ergste vind ik nog dat hij mijn gevoelens zo van tafel veegde. Het raakt hem niet eens dat zijn eigen dochter hem eigenlijk maar een waardeloos figuur vindt en hij vindt zelf dat hij nergens schuldig aan is. Er is gewoon geen redelijk gesprek met die man te voeren."

„Met jou daarnet anders ook niet," zei Leo met een klein lachje. Hij drukte haar even bemoedigend tegen zich aan. „Je viel hem aan, het is niet zo heel vreemd dat hij zich verdedigde."

„Ga je het nu voor hem opnemen?" vroeg Colette scherp.

„Dat zeker niet, want je had volkomen gelijk. Hij is geen

vaderfiguur, dat is hij nooit geweest en dat zal hij ook wel nooit worden. Jammer eigenlijk. We zijn even oud, we hadden vrienden kunnen zijn."

„Ik ben dolblij dat jij niets gemeen hebt met mijn vader," zei Colette vanuit de grond van haar hart.

„Behalve mijn leeftijd dan. Dat liet hij trouwens niet heel erg subtiel merken."

„Jij staat zo volkomen anders in het leven dan hij. Jij bent met mij samen omdat we van elkaar houden, hij heeft die jonge grietjes achter zich aan omdat het zijn ego versterkt. Iedere vergelijking tussen jullie gaat volkomen mank. Gelukkig wel."

Ze hadden inmiddels de uitgang aan de andere kant van het park bereikt en Leo stelde voor om langs het restaurant heen naar de parkeerplaats te lopen. Het was hier een stuk drukker dan aan de voorkant van het gebouw. Auto's reden af en aan over de brede weg en op het trottoir liepen diverse voetgangers. Een paar meter voor hen uit liep een jong stel met een jongetje van een jaar of vier bij zich. De ouders liepen hand in hand, het jongetje drentelde een beetje om hen heen. De vader riep iets naar hem, daarna keek hij lachend naar zijn vrouw. De twee mensen waren even zo in elkaar verdiept dat ze allebei niet in de gaten hadden dat het jongetje onverhoeds de stoep af liep. Colettes hart sloeg één moment over van schrik. In een flits zag ze het kind de weg op lopen terwijl er een auto met een behoorlijk harde vaart aan kwam rijden. Voor Leo doorhad wat er gebeurde, rukte ze zich van hem los. Razendsnel rende ze naar het kind toe, amper zelf beseffend wat ze deed. Vlak voor de aanstormende auto langs kon ze het jongetje aan zijn jas naar de kant trekken. Ze gooide hem zowat de veilige stoep op, daarbij zelf haar evenwicht verliezend. Ze maaide nog even met haar armen, maar dat mocht niet baten. Met een klap belandde Colette op de grond, haar hoofd raakte daarbij de stoeprand. Vaag hoorde ze nog het luide gekrijs van het kind, de verschrikte uitroepen van zijn ouders en de stem van Leo, die haar naam riep, daarna werd alles mistig en stil om haar heen.

HOOFDSTUK 5

Het duurde maar even voor Colette haar ogen weer opende, voor Leo leek het echter of er uren voorbij waren gegaan.

„Gelukkig, je leeft nog," zei hij met een brok in zijn keel. Uiterst voorzichtig legde hij zijn jas over haar heen. Hij hield haar tegen toen ze overeind wilde komen. „Blijf liggen. De ambulance is onderweg."

„Ambulance? Dat is belachelijk. Ik mankeer niets," stribbelde Colette tegen.

„Laat dat maar beoordelen door mensen die er verstand van hebben," zei Leo. Hij klonk zo autoritair dat Colette zich gehoorzaam weer liet zakken. Haar ogen gleden over de mensen die zich in no time om hen heen verzameld hadden. Iets verderop zag ze een huilende, jonge vrouw staan met het jongetje in haar armen. Het kind krijste nog steeds hartverscheurend, de tranen van de moeder waren meer van geluk en opluchting dat ze haar kind veilig en wel in haar armen kon houden.

„Hoe is het met hem?" vroeg ze aan Leo.

„Kerngezond en springlevend," antwoordde hij met een glimlach. „Dankzij jou. Hij huilt alleen nog van de schrik. Het is ook niet niks als je plotseling door een wildvreemde wordt opgetild en weggesmeten."

Colette rilde. „Ik moet er niet aan denken wat er had kunnen gebeuren. Ik zag die wagen zo op hem af komen."

„Je was geweldig. Ik ben trots op je."

In de verte hoorden ze de sirene van de ambulance. Twee politieagenten waren al gearriveerd, zij begonnen de omstanders uit elkaar te drijven.

Na een kort onderzoek door de ambulancebroeders werd

besloten Colette mee te nemen naar het ziekenhuis. „Waarschijnlijk heeft u toch een hersenschudding," zei de ene man tegen haar.

„Dat kan niet. Wat je niet hebt, kan ook niet geschud worden," grinnikte Colette vol bravoure. Het lachen verging haar echter op het moment dat ze overeind werd geholpen. De hele wereld leek te draaien en ze voelde een golf van misselijkheid door haar lichaam heen gaan. Bleek en klappertandend lag ze even later in de ambulance. De jonge moeder met haar zoontje stapten ook in. Het jongetje had een behoorlijke smak gemaakt toen Colette hem de stoep op gooide, ze wilden hem voor de zekerheid toch even nader onderzoeken. Leo kwam met zijn eigen wagen achter de ambulance aan. Hij beloofde de vrouw dat hij haar man ook mee zou nemen, want de ambulance was vol.

„Ik ben u zo enorm dankbaar," stamelde de vrouw boven het gegil van het kind uit. Hij bleef onverminderd doorkrijsen, ondanks de sensatie dat hij in een echte ambulance zat, iets waar hij onder normale omstandigheden helemaal van door het dolle heen zou zijn geraakt van opwinding. Nu bleef hij echter stijf tegen zijn moeder aangedrukt zitten, met zijn hoofd tegen haar schouder verborgen. „Het was onze schuld, wij letten niet goed op."

„Kinderen zijn ook zo razendsnel," zei Colette vriendelijk.

„Maar toch… Ik had hem aan de hand moeten houden," zei de vrouw vol zelfverwijt. „Mijn naam is trouwens Mariska van der Knaap. Mijn zoontje heet Wessel."

„Ik ben Colette."

Verder sprak Colette niet meer tot ze bij het ziekenhuis arriveerden. Er begon een stevige hoofdpijn op te zetten, wat door het gebrul van Wessel bepaald niet minder werd.

Eenmaal in het ziekenhuis werd ze meteen grondig onderzocht. Ze had inderdaad een fikse hersenschudding opgelopen en een hoofdwond vlak boven haar wenkbrauw, die gehecht moest worden. Wessel bleek door de klap op het trottoir zijn enkel gekneusd te hebben, bovendien had hij een paar behoorlijke schaafwonden.

„Dit is voor het eerst dat ik blij ben met slechts een gekneusde voet en wat schaafwonden," zei Mariska vanuit de grond van haar hart. „Het had zoveel erger kunnen zijn. Ik heb geen idee hoe ik je moet bedanken."

„Bedank me dan maar niet," zei Colette. Ze was geradbraakt en wilde alleen nog maar naar huis toe. Met het recept voor pijnstillers en het advies om het de komende tijd rustig aan te doen, mocht ze eindelijk weg. Leo bood aan om Jan en Mariska met hun zoontje naar huis te brengen.

„Wij wonen hier niet, we zijn hier slechts een weekje op vakantie," vertelde Jan. „We logeren in het Landman hotel. Morgen gaan we weer naar huis, we wonen in Zeeland."

„Dan breng ik jullie naar het hotel," zei Leo. „Dat is amper omrijden voor ons. Ik moet trouwens ook naar de apotheek voor de pijnstillers en de avondapotheek is in de straat achter dat hotel."

„Als het niet teveel moeite is, dan heel graag," nam Mariska dat aanbod aan. Wessel had inmiddels het huilen gestaakt. Hij leunde moe tegen zijn vader aan en vermeed het om Colette aan te kijken. Die vreemde vrouw die hem zo abrupt had opgetild en weggeduwd vond hij maar eng.

„Ik denk dat hij een beetje bang voor je is," zei Jan verontschuldigend.

„In tegenstelling tot ons," voegde Mariska daar lachend

aan toe. „Geef me alsjeblieft jullie adres, dan kan ik je vanuit Zeeland iets sturen als dank."

Colette was te moe om daar tegen te protesteren, ze keek
slechts toe hoe Leo hun adres op een papiertje krabbelde
en aan Mariska overhandigde.

„Dat had je niet moeten doen, ik hoef helemaal geen
cadeautjes," zei ze later, na een warm afscheid van de
familie van der Knaap.

„Je hebt het leven gered van hun zoontje, het kostbaarste
wat ze hebben. Natuurlijk willen ze je iets geven," meende Leo echter. „Als het andersom was geweest, dat bijvoorbeeld Jan jou had gered, zou ik hem overladen met
alles wat hij maar wilde hebben. Zo, we zijn er. Kom mee
schat, dan ga ik jou in bed leggen."

Gewillig liet Colette zich meevoeren naar de slaapkamer,
waar Leo haar zorgzaam hielp met uitkleden. Ze was blij
toen ze eindelijk tussen de koele lakens lag en haar ogen
kon sluiten. Het was een zeer enerverende avond geweest
en totaal anders dan ze verwacht hadden op het moment
dat ze hun huis verlieten om haar succes te vieren met een
etentje. Maar in ieder geval wel een goed bestede avond,
dacht ze nog even loom voor de slaap haar overviel. De
ruzie met haar vader was weliswaar niet prettig geweest,
maar juist dankzij die ruzie waren ze op het juiste moment
in de buurt geweest om Wessel te kunnen redden voor de
aanstormende auto. Daar had ze wel een beetje hoofdpijn
voor over.

De volgende dag werd er een enorm boeket bloemen
bezorgd en drie dagen later volgde er een klein pakje.
Colette slaakte een kreet van verrukking nadat ze het geo-
pend had. In een klein doosje, op een bedje van rood flu-
weel, lag een ragfijne, gouden ketting met een vierkante

hanger die bezet was met diamantjes. Aan de achterkant van de hanger was de tekst 'Dank je wel' gegraveerd, met daarbij de datum van die bewuste dag.

„Dat is toch veel te gek," stamelde Colette. Ze keek hulpzoekend naar Leo. „Dat kan ik toch niet accepteren? Die ketting moet peperduur zijn geweest."

„Ik denk dat je ze enorm kwetst als je het niet aanneemt," meende hij echter. „Kijk, er zit een briefje bij."

Colette vouwde het papiertje open.

'Lieve Colette,' las ze hardop voor. 'We kunnen niet vaak genoeg benadrukken hoe diep dankbaar we je zijn voor wat je gedaan hebt. Dankzij jou loopt Wessel nog gezond rond, een groter geschenk kun je als ouders niet krijgen. De ketting die we je hierbij toesturen, steekt daar heel schamel bij af, toch hopen we dat je hem wilt accepteren en graag zult dragen. Waarschijnlijk zul je roepen dat het te veel en te duur is, maar wat ons betreft is niets te veel of te duur voor jou. Als het kon, zouden we jou in goud vatten. We hopen dat het inmiddels wat beter met je gaat en dat je geen nare gevolgen over zult houden aan de klap. Laat ons alsjeblieft weten hoe het met je gaat. Wessel maakt het uitstekend. Hij is over de ergste schrik heen en buit zijn gekneusde enkel enorm uit om overal zijn zin in te krijgen. Gelukkig maar!

De schuld die we tegenover jou hebben zullen we nooit in kunnen lossen, maar aarzel nooit om ons in te schakelen als er iets is wat we voor je kunnen doen, op welk gebied dan ook.

Lieve groet en een dikke zoen van Jan, Mariska en Wessel.'

„Wat ontzettend lief," zei Colette ontroerd. Ze liet Leo de ketting om haar hals hangen en stopte het briefje zorgvuldig weg in haar schrijfmap. Mariska had ook haar e-mail-adres genoteerd en ze kroop meteen achter haar computer om ze een mailtje te sturen.

'Lieve Jan, Mariska en Wessel,' begon ze. 'Heel hartelijk bedankt voor de schitterende ketting en niet te vergeten de bloemen die ik al eerder mocht ontvangen. Je had het goed ingeschat. Mijn eerste reactie was inderdaad dat ik zoiets duurs niet aan kon nemen, maar na het lezen van je lieve briefje was ik er alleen nog maar heel erg blij mee. Van een schuld naar mij toe is echter totaal geen sprake. Ik deed simpelweg wat ieder ander ook gedaan zou hebben. Je denkt op zo'n moment niet na, je handelt alleen maar. Het is fijn om te horen dat het zo goed gaat met Wessel. Zelf knap ik ook al aardig op, al verveel ik me behoorlijk nu ik niet mag werken. Nogmaals heel hartelijk bedankt. Groetjes van Colette en Leo.'

Mariska zat blijkbaar ook aan haar computer, want nog geen tien minuten later kwam er al een mailtje van haar terug. Dat was het begin van een intensieve correspondentie per computer tussen Colette en Mariska. In de tijd die volgde hadden ze regelmatig op deze manier contact met elkaar, over de meest uiteenlopende onderwerpen. Hun relaties, hun verschillende banen, hobby's en actualiteiten kwamen aan bod en langzaam maar zeker werden ze dikke vriendinnen, al beperkte het contact zich dan ook tot het sturen van berichtjes. In de weken dat Colette vanwege haar hersenschudding niet mocht werken, was het mailen met Mariska een welkome afleiding voor haar en ook toen ze haar werk weer hervatte en ze druk bezig was met het vinden van opdrachten, bleek Mariska een prima uitlaatklep te zijn. Al haar onzekerheden op dat gebied kon ze via het beeldscherm aan haar kwijt. De ketting droeg Colette dagelijks. Het mooie sieraad was haar zeer dierbaar geworden. Niet alleen vanwege de schoonheid ervan of vanwege de financiële waarde, maar vooral omdat de ketting een symbool was voor deze nieuwe vriendschap. Een vriendschap die op een bijzondere manier tot stand gekomen was en die in korte tijd veel voor haar was gaan betekenen.

„Ik heb een opdracht voor je." Meteen zodra Colette de salon betrad, viel Lindy met de deur in huis. „Voor dat tijdschrift waar ik de beautyrubriek van verzorg, je weet wel. Ze werken altijd met een paar vaste visagistes voor de fotoshoots en één daarvan is gisteren opgenomen in het ziekenhuis met een acute blindedarmontsteking. Het is vanmiddag al, kun je dan? Zeg alsjeblieft ja, want ik heb mijn nek nogal uitgestoken voor je. Ze willen eigenlijk iemand met meer ervaring."

„Ja," antwoordde Colette beduusd. Razendsnel ging ze haar geplande bezigheden voor die middag na. Ze moest naar de bank, maar dat kon ze best nog even uitstellen. De afspraak met de tandarts die ze eigenlijk had staan, was gisteren al door zijn assistente afgebeld omdat hij griep had. Verder lag er nog een berg strijkwerk op haar te wachten die ze eigenlijk vanmiddag weg had willen werken, maar ook dat was niet belangrijk genoeg om een opdracht voor te laten lopen.

„Fijn, daar hoopte ik al op," zei Lindy tevreden. Ze overhandigde Colette een briefje met daarop het adres waar ze werd verwacht en enkele bijzonderheden over het werk wat ze moest verrichten. „Het is in Amsterdam. Als je hier een half uurtje eerder weggaat dan gewoonlijk, red je het makkelijk."

Het ging om een reportage over moeders en dochters, las Colette snel. Het betrof deze keer geen make-over, wat ze tot nu toe twee keer had gedaan voor een ander blad, maar een artikel over de beroemde band tussen moeders en dochters. Vier moeders en hun dochters in leeftijden uiteenlopend van twee tot zestien jaar, werden die middag op de gevoelige plaat vastgelegd voor de begeleidende foto's. Geen glamour make-up dus, begreep Colette. Gewoon een lichte basis om ervoor te zorgen dat ze niet zo bleek overkwamen. Wat ze voor de rest voor make-up zou aanbrengen was mede afhankelijk van wat de vrouwen zelf wilden en wat ze gewend waren. Iemand die zich in het dagelijkse leven nooit opmaakte, zou nu niet opeens met een gezicht vol oorlogskleuren in een tijdschrift willen staan. Het was tenslotte wel de bedoeling dat ze zoveel mogelijk zichzelf bleven.

„Dat heb je goed gezien," prees Lindy nadat ze daar een opmerking over maakte. „Zie je wel, ik wist meteen dat jij hier geknipt voor zou zijn. Doe je best, meid. Als het ze bevalt, heb je kans op meer opdrachten via dit blad. Je hebt mijn mobiele nummer, als je ergens hulp of advies bij nodig hebt, bel je me maar."

„Ik denk dat ik het in mijn eentje wel red," zei Colette met meer zelfvertrouwen dan ze bezat. Ze voelde zich vreemd opgewonden bij het vooruitzicht van haar eerste grote opdracht. Tot nu toe had ze wat simpele klusjes gedaan, voornamelijk als assistente. Nu moest ze zichzelf echt bewijzen. Ze begreep heel goed hoe belangrijk deze klus was. Dit tijdschrift was een vooraanstaand blad met veel abonnees en een goede reputatie op het gebied van mode en uiterlijke verzorging. Als ze het zou verpesten, was de kans groot dat ze nergens meer aan de bak kwam.

Vanaf de salon fietste ze in sneltreinvaart naar huis om haar make-up koffer en haar auto te halen. Terwijl ze zich omkleedde, belde ze naar Leo, maar ze kreeg van zijn secretaresse te horen dat hij niet aanwezig was, dus legde ze een briefje voor hem op tafel waarin ze uitlegde wat ze ging doen en dat ze niet wist hoe laat ze thuis zou komen. Naar zijn mobiel belde ze nooit, omdat het bijzonder hinderlijk voor Leo was als hij gestoord werd tijdens een gesprek met mensen die intens verdrietig een begrafenis moesten regelen omdat een dierbare hen ontvallen was. Ze kleedde zich met zorg in een slank gesneden, onopvallend, donker gekleurd broekpak dat heerlijk zat en niet kreukte en besteedde extra aandacht aan haar eigen make-up. Als visagiste kon ze moeilijk onopgemaakt verschijnen, vond ze zelf.

Ruim op tijd stapte ze in haar auto, nog even snel de routebeschrijving doorlezend die Lindy bij de papieren had gedaan. Het zat haar echter niet mee onderweg. Op de snelweg kwam ze al snel in een file te staan die veroorzaakt werd door wegwerkzaamheden en net toen ze weer een beetje normaal door kon rijden, kwam ze in de volgende verkeersopstopping terecht, dit keer vanwege een botsing voor haar. Flink in zichzelf mopperend bereikte ze eindelijk de juiste afslag, maar daarna begon het zoeken naar het haar opgegeven adres pas goed. Tijdens het rijden kon ze moeilijk op de routebeschrijving kijken, dus ging ze een paar keer verkeerd. Met het zweet in haar handen en een zwaar bonkend hart kon ze eindelijk haar auto parkeren voor het gebouw waar ze moest zijn. Gelukkig hadden ze een afgesloten parkeerterrein voor bezoekers, want tijdens het rijden in de omliggende straten had ze allang gezien dat het vinden van een parkeerplaats een praktisch onmogelijke opgave was.

Tien minuten te laat, zag ze met een blik op haar horloge. Geen al te best begin. Enfin, met het verkeer van tegenwoordig kon ze zich niet voorstellen dat zij de enige was die niet stipt op tijd aanwezig was. Helaas voor Colette bleek dat echter wel zo te zijn. Eenmaal in de juiste studio aangekomen, met hulp van een vriendelijke portier, bleek dat iedereen op haar zat te wachten.

„Eindelijk," zei een stuurse man die later de fotograaf bleek te zijn. „Het is misschien niet helemaal tot je doorgedrongen, maar als er gezegd wordt twee uur, is het ook de bedoeling dat je op dat tijdstip klaar staat om te beginnen. Je houdt de boel onnodig op zo."

„Het spijt me," verontschuldigde Colette zich. „Ik heb twee keer vastgestaan in een file, daarna ben ik verkeerd gereden en verdwaald."

„Weinig professioneel," mopperde hij verder. „Enfin, je bent er nu, dus laten we meteen aan de slag gaan. Ik ben Nick Zwelenburg, de moeders en dochters die vandaag op de foto gaan zitten daar." Hij wees naar een hoek van de ruimte, waar een aantal mensen aan een tafel koffie zaten te drinken. Colette snakte naar een kop koffie na de rit die ze achter de rug had, maar het leek haar verstandiger om dat niet te zeggen. Ze realiseerde zich nu pas dat ze ook haar lunch had overgeslagen. Haar maag begon angstwekkend te knorren terwijl ze haar koffer opende en alle spullen die ze nodig had klaarlegde. „Nog één advies, koop een navigatiesysteem," zei Nick Zwelenburg. „Bij dit werk kun je je niet veroorloven om te laat te komen. Iedereen is afhankelijk van elkaar en we moeten van elkaar op aan kunnen."

„Zodra ik meer opdrachten krijg, eerder kan ik het me niet

veroorloven," grapte Colette in een poging de sfeer wat losser te krijgen.

„Dat kun je wel vergeten op deze manier," zei Nick echter bot voor hij van haar wegliep.

Colette beet op haar onderlip. Wat een ongelikte beer, dacht ze nijdig bij zichzelf. Oké, ze was te laat, maar ten eerste kon ze zelf niets aan die opstoppingen doen die ze had gehad en ten tweede had ze behoorlijk haar excuses gemaakt. Meer dan dat kon ze niet doen.

Later, nadat ze de eerste moeder en dochter had opge-maakt, merkte ze dat hij de fotograaf was. In een andere hoek van de studio was hij samen met zijn assistente druk bezig om ze goed op de foto te zetten. Daar kwam nog heel wat bij kijken, merkte Colette. Meer dan ze zelf had gedacht. Terwijl ze de volgende vrouw opmaakte, keek ze vanuit haar ooghoeken toe hoe hij werkte. Nick leek ineens een heel ander persoon nu hij met zijn camera bezig was. Hij stelde de vrouwen, die stuk voor stuk geen enkele ervaring hadden op dit gebied, met een enkel woord op hun gemak en dat zorgde ervoor dat ze niet stijf overkwamen. Zo was hij zelfs sympathiek, dacht Colette. Een karaktereigenschap die ze een uur eerder niet aan hem toegeschreven zou hebben.

Met zijn allen werkten ze een paar uur hard door voor het werk erop zat. Colette rammelde intussen letterlijk van de honger en haar keel voelde droog aan. Ze had de hele mid-dag niets te drinken gehad. Er stonden wel kannen koffie en thee op een lange tafel, maar ze durfde niet zo goed zelf te pakken. Ze had al niet zo'n beste eerste indruk gemaakt, het had haar verstandiger geleken om stug door te werken, zonder een pauze te nemen. Het werk op zich beviel haar overigens uitstekend. De vrouwen die ze onder handen nam, babbelden er lustig op los tegenover haar en de sfeer in de studio was goed, al had die Nick haar dan geen blik meer waardig gekeurd.

Pas over zessen zat het werk erop en stonden alle gelegenheidsmodellen op de gevoelige plaat.

„Je hebt het goed gedaan, zeker als het pas je eerste opdracht is," zei Nick tegen Colette. Hij dook plotseling achter haar op terwijl ze bezig was al haar spullen weer in haar koffer te doen.

„Dank je wel," zei ze verrast door dit onverwachte complimentje. Dat was het laatste wat ze verwacht had.

„Ik meen het, je hoeft niet zo verbaasd te kijken," lachte hij. Hij haalde een hand door zijn warrige, blonde haren heen, zodat het alle kanten op kwam te staan. Dat stond hem nog goed ook, dacht Colette stiekem bij zichzelf. Ze nam hem nu wat aandachtiger op. Hij was jonger dan ze in eerste instantie had gedacht. Een jaar of dertig, schatte ze in. „Je wilt niet weten met wat voor types ik af en toe moet werken," vervolgde hij. „Echt, sommige mensen bakken er totaal niets van en als je daar iets van zegt, krijg je nog een grote mond toe. Ik werk dan ook het liefst met bekenden, mensen waar ik van op aan kan omdat ik uit ervaring weet dat ze goed werk leveren. Lindy heeft me overgehaald om jou te boeken voor vandaag, maar toen je om twee uur niet aanwezig was, had ik daar spijt van. Niet weer zo eentje, dacht ik."

„Het spijt me echt dat ik te laat was," zei Colette nogmaals. „Alles zat tegen onderweg."

„We praten er niet meer over. In ieder geval heb je keihard gewerkt vandaag, dat heb ik wel gemerkt. Zullen we nog een kop koffie nemen voor we vertrekken? Volgens mij heb jij vanmiddag niets gedronken."

„Klopt. Ik heb ook niet gegeten tussen de middag," bekende Colette. „Daar had ik geen tijd meer voor. Ik was veel te bang om te laat te komen." Dat laatste voegde ze er met een klein lachje aan toe.

Nick schudde zijn hoofd. „Waarom heb je dat niet gezegd? Je moet uitgedroogd zijn zo langzamerhand." Hij schonk een beker koffie voor haar in en toverde ergens een pak koekjes tevoorschijn. Samen met de assistente van Nick en de styliste die vandaag de kleding van de vrouwen en hun kinderen had verzorgd, schoven ze aan de lange tafel. Het was een prettige afsluiting van een vermoeiende en enerverende dag voor Colette. Toen ze om half acht die avond in haar auto stapte, voelde ze zich moe, maar voldaan. Ze had haar eerste echte opdracht in ieder geval tot een goed einde gebracht, ondanks het slechte begin. Ze hoopte dat er nog veel van dit soort opdrachten zouden komen.

HOOFDSTUK 6

Het was al donker voor Colette haar wagen voor haar huisdeur parkeerde. Ook in huis brandde geen enkel licht, zag ze tot haar verbazing. Zou Leo er niet zijn? Ze opende de deur, zette haar spullen in de gang en liep de huiskamer in.

„Zo, dus je komt toch nog een keer thuis," klonk een spottende stem vanuit het donker. Colette schrok van dit onverwachte geluid. Snel knipte ze het licht aan. Leo zat in de grote fauteuil bij het raam en hij keek haar boos, bijna vijandig aan.

„Wat is dat voor onzin om me zo de stuipen op het lijf te jagen?" verweet ze hem. „En waarom zit je hier in vredesnaam in het donker?"

„Ik had geen zin om op te staan en licht te maken," zei hij schouderophalend. „Ik heb je trouwens iets gevraagd."

„Nee, je maakte een opmerking. Een volkomen belachelijke opmerking trouwens," reageerde Colette vinnig. Ze was in zo'n juichende stemming geweest, maar Leo draaide dat meteen de nek om met zijn gedrag.

„Ik zit hier al uren op je te wachten. Neem me vooral niet kwalijk dat ik niet onmiddellijk opspring van blijdschap omdat je het belieft toch nog te komen," merkte hij sarcastisch op.

„Zeg, doe even normaal." Ze werd nu kwaad en liet dat merken ook. Ze was een volwassen vrouw en geen onmondig kind dat op het matje geroepen kon worden.

„Ik was aan het werk. Via Lindy heb ik mijn eerste grote opdracht gekregen."

„Zo op het laatste moment?" Leo trok zijn wenkbrauwen hoog op en keek haar ongelovig aan.

„De ingehuurde visagiste had een acute blindedarmont-steking, er moest op stel en sprong iemand anders gere-geld worden. Wat is dit eigenlijk voor verhoor? Geloof je me soms niet? Denk je dat ik de bloemetjes buiten aan het zetten was met een andere man en mijn werk als smoesje hebt gebruikt?" Aan de schuldige blik in zijn ogen zag Colette dat ze niet ver van de waarheid af zat met deze veronderstelling. „Je bent niet wijs," zei ze kortaf.

„Het is nogal een rare gang van zaken, dat moet je toege-ven," verdedigde Leo zichzelf. „Je had me op zijn minst kunnen bellen om het even uit te leggen. Nu kwam ik thuis en vond ik een briefje op tafel waar slechts op stond dat je aan het werk was en niet wist hoe laat je thuis zou komen. Ik heb de salon nog gebeld, maar daar was nie-mand meer. Ik wist niet wat ik ervan moest denken."

„Ten eerste heb ik je gebeld, maar was je niet aanwezig, ten tweede heb ik aan je secretaresse doorgegeven dat het een opdracht in Amsterdam betrof en ten derde heb ik je nog nooit een reden gegeven om wantrouwend te zijn, dus je gedachtengang slaat totaal nergens op. Sorry, maar ik vind dit meer dan belachelijk. Ik heb vandaag keihard gewerkt en ik heb totaal geen behoefte aan dergelijke ongefundeerde beschuldigingen," zei Colette met flikke-rende ogen van woede.

„Mijn fantasie ging misschien een beetje met me op de loop," gaf Leo toe. „Met Isa heb ik een harde leerschool gehad."

„Ik ben Isa niet en ik wil ook absoluut niet met haar ver-geleken worden. Ik mag hopen dat je niet verwacht dat ik begrip voor je houding opbreng en je troost omdat je het zo moeilijk hebt gehad tijdens je eerste huwelijk?" Dat laatste voegde ze er sarcastisch aan toe. „Jouw ervaringen met haar staan helemaal los van mij, ik heb geen zin om voor iedere stap verantwoording af te moeten leggen omdat je ooit een keer bedrogen bent."

„Oké, je hebt gelijk. Het spijt me. Het is alleen… Toen ik hier zo zat en het steeds later werd, kon ik de herinneringen aan vroeger niet meer tegenhouden," bekende Leo. „Al kwam ik er pas veel later achter wat er werkelijk speelde, toch leek het even alsof de geschiedenis zich herhaalde. Ik vrees dat ik dat wantrouwen nooit helemaal zal kwijtraken." Hij maakte een verontschuldigend gebaar met zijn hand.

„Dan zul je toch moeten leren om het beter te verbergen, want ik ben er niet van gediend," zei Colette spottend.

„Je hebt gelijk, dat zei ik al. Wil je iets drinken? Heb je trouwens al gegeten?"

„Nee, alleen een paar koekjes toen we nog een kop koffie dronken voor we daar weggingen."

„We?" vroeg Leo zich hardop af.

„De fotograaf en ik," zei Colette, expres de aanwezigheid van de assistente van Nick en de styliste verzwijgend. Misschien gemeen van haar, maar na wat hij allemaal gezegd had, voelde ze zich niet geroepen om Leo nu gerust te stellen. Ze kon zijn wantrouwen ergens wel begrijpen, maar weigerde dat gedrag te ondersteunen door voortdurend te verklaren met wie ze wat en waar gedaan had. Uitdagend keek ze hem aan, Leo liet zich echter niet kennen. „Na zo'n middag intensief werken zullen jullie wel behoefte hebben gehad aan koffie," zei hij slechts op vlakke toon.

„Precies. Zullen we een pizza bestellen? Het is negen uur geweest, ik zie het niet meer zitten om nog iets klaar te maken. Had jij trouwens al gegeten?"

Leo antwoordde ontkennend, wat ze al verwacht had.

Een half uur later werd hun bestelling bezorgd. Zwijgend, met slechts af en toe een losse opmerking tussendoor, aten ze hun late avondmaal op. Colette had vol gezeten met enthousiaste verhalen over deze dag, maar in deze stemming had ze geen zin meer om die te spuien. Ze was zwaar teleurgesteld in Leo's reactie en dat werd nog erger toen hij na een halve pizza gegeten te hebben de doos van zich afschoof en zei: „Ik heb helemaal geen honger meer, het is eigenlijk veel te laat om nog zoveel te eten. Ik hoop toch dat dit niet vaker voor gaat komen, Colette."

„Wat bedoel je daarmee?" Al haar stekels gingen onmiddellijk overeind staan. De toon waarop hij dat gezegd had was niet bepaald vriendelijk, eerder stuurs.

„Precies wat ik zeg. Het is nou niet echt gezellig om in een leeg huis te komen na een dag werken en dan halverwege de avond wat junkfood in je mond te moeten stoppen omdat je geen tijd hebt gehad om een behoorlijk maal te maken. Als ik dat prettig had gevonden, was ik wel vrijgezel gebleven."

„Wat?" Colette wist niet wat ze hoorde. Verbijsterd staarde ze hem over het stuk pizza dat ze in haar hand hield aan.

„Ja, dit vind ik helemaal niets," ging Leo onverstoorbaar verder. „Het is knap ongezellig om thuis te komen als jij er niet bent en ik geen idee heb wanneer je thuiskomt. Bovendien zag ik dat het overhemd dat ik morgen aan wilde doen nog ongestreken in de mand ligt. Je hoeft het nu niet onmiddellijk nog te strijken, hoor, ik trek wel iets anders aan, maar leuk is het niet op deze manier."

„Bedankt dat ik niet meteen op hoef te springen om jouw kleding te verzorgen," reageerde Colette sarcastisch. „Al was ik dat overigens toch niet van plan. Je hebt zelf twee hele goede handen aan je lichaam zitten, dus je had zelf ook even die strijk weg kunnen werken. Dat was waarschijnlijk heilzamer geweest dan in het donker te gaan zitten kniezen omdat het vrouwtje niet thuis was." Het klonk ongekend hatelijk uit haar mond en Leo keek haar dan ook verbaasd aan.

„Wat is dat nou voor een opmerking? Ik mag toch wel zeggen wat ik ervan vind? Wees blij dat ik het ongezellig vind als jij er niet bent, het tegenovergestelde lijkt me erger." Hij wilde haar aanhalen, maar Colette dook weg voor zijn hand haar bereikte.

„Natuurlijk mag je een mening hebben, maar de manier waarop je het brengt bevalt me niet zo," zei ze scherp. „Laten we even heel duidelijk stellen dat ik niet je huishoudster ben. Evenmin wil ik gedegradeerd worden tot het zorgzame huisvrouwtje dat manlief tevreden moet houden."

„Dat heb ik helemaal niet gezegd." Hij was oprecht gekwetst door haar harde woorden.

„Zo kwam het dan toch wel over. Ik begrijp uit jouw woorden dat ik best een baan mag hebben, maar dat mijn werk niet ten koste mag gaan van het huishouden en van de gezelligheid in huis. Met andere woorden: ik mag werken in de uren dat jij er niet bent zodat je er vooral geen last van hebt."

„Zo klinkt het heel erg cru, maar vind je echt dat ik heel erg ongelijk heb? Je kan me toch onmogelijk betichten van ouderwets gedrag op dat gebied. Het laatste jaar heb ik je overal in gesteund en nooit geklaagd als je ergens geen tijd voor had."

„Dat is zonder meer waar," gaf Colette meteen ruiterlijk

toe. „Daarom valt mijn mond nu waarschijnlijk open van verbazing bij deze totaal andere opstelling. Ik begrijp niet waar dat nu ineens vandaan komt."

„Ik dacht dat de drukte nu wel achter ons lag. Je hebt je certificaten behaald en ik verheugde me erop dat ons leven weer wat geregelder zou worden."

„Ik heb die cursussen anders niet gevolgd om nu achterover te leunen en verder niets te doen."

„Je wilde toch voornamelijk jezelf bewijzen dat je meer kunt? Dat heb je gedaan."

Colettes mond viel nu letterlijk open. „Dat heb je dan toch echt verkeerd ingeschat. Ik ben zesentwintig, ik wil niet de rest van mijn leven vullen met een halve baan en voor de rest alleen het huishouden. Deze cursussen ben ik gaan doen om meer te kunnen werken in de toekomst. Zelfstandig, afwisselend werk dat niet aan vaste uren gebonden is, zodat ik een beetje uitdaging heb. Ik ben veel te jong om nu al te vegeteren."

„Dan ben ik waarschijnlijk te oud om in dat ritme mee te gaan," zei Leo met een strak gezicht. „Uit jouw woorden begrijp ik dat je op zoek bent naar een dynamisch, druk leven. Het spijt me, Colette, maar die tijd heb ik gehad. Ik wil 's avonds na mijn werk graag wat rust. Een keertje uitgaan of visite ontvangen vind ik prima, maar ik heb geen zin om voortdurend mijn agenda te moeten raadplegen om te kijken of jij er bent of niet."

„Daar zul je toch aan moeten wennen." Plotseling stonden ze als kemphanen tegenover elkaar, allebei niet goed wetend hoe ze met deze situatie om moesten gaan. „Ik vertik het ten enenmale om nu al op mijn lauweren te gaan rusten omdat ik toevallig met een man ben getrouwd die te oud is voor een beetje hectiek."

Leo verbleekte bij deze scherpe aanval. „Ik kan me anders niet herinneren dat ik erg veel moeite heb moeten doen om je over te halen," zei hij koeltjes. „Integendeel zelfs. Ik was degene die ons leeftijdsverschil als een bezwaar zag, jij zag daar geen enkel probleem in. Jammer dat we nu al, na nog geen twee jaar, tot de conclusie moeten komen dat ik gelijk had."

Colette stond op. „Ik ga naar bed," zei ze stroef. „Hier heb ik helemaal geen zin in. Als wij een verschil van mening hebben, sleep jij er altijd dat leeftijdsverschil bij, dat word ik behoorlijk zat."

„Het zijn anders jouw woorden dat ik te oud voor je ben."

Colette gaf geen antwoord meer. Ze liep de kamer uit en liet zich even later op de rand van haar bed zakken. Vertwijfeld verborg ze haar gezicht in haar handen, haar ellebogen steunend op haar knieën. Zo goed als deze dag begonnen was, zo slecht eindigde hij nu. Dit was hun eerste, grote ruzie, realiseerde ze zich. Tot nu toe hadden ze hun verschillen van meningen altijd goed uit kunnen praten en waren ze er door compromissen te sluiten altijd wel uit gekomen. In dit geval lag dat anders. Colette besefte heel goed dat als ze werkelijk iets wilde bereiken in haar vak, ze zich voor meer dan honderd procent in moest zetten en ze zeker niet moest gaan klagen over wisselende werktijden. Fotoshoots werden nu eenmaal niet altijd tussen negen en vijf gemaakt. Bovendien wilde ze ooit bij de televisie gaan werken, waar de tijden weer anders lagen. Opdrachten weigeren op grond van het feit dat ze 's avonds of in het weekend plaatsvonden, kon ze zich niet veroorloven als ze ooit voet aan de grond wilde krijgen in dat wereldje. Eén van de eisen van dit beroep was nu eenmaal flexibiliteit. En als Leo dat niet kon of wilde begrij-

71

pen, dan was dat zijn probleem en niet het hare, dacht ze opstandig. Zijn opstelling sloeg helemaal nergens op. Dat hij het niet leuk vond als ze minder vaak thuis was, kon ze begrijpen, maar zoals hij het vanavond had gebracht was klinkklare onzin. Alsof hij, als de baas in huis, wel even kon bepalen hoe zij haar leven in moest richten! Nou, mooi niet! Al haar stekels gingen overeind staan bij de gedachte alleen al. Natuurlijk had je bepaalde verplichtingen tegenover elkaar als getrouwd stel, maar die hielden niet in dat hij haar leven kon bepalen. Ze maakte nog altijd haar eigen keuzes en ze had die opleiding niet gevolgd om er vervolgens niets mee te doen.

Terwijl Colette zich op de rand van haar bed steeds meer op zat te winden, zat Leo mismoedig in de kamer. Zijn schouders hingen naar beneden en zijn mond was vertrokken tot een smalle streep. Zijn diepste angst begon realiteit te worden. Het leek erop dat ze op een punt waren aangekomen dat hij zijn veel jongere vrouw niet meer bij kon houden. Colette stond midden in het leven en aan het begin van haar carrière, hij had die tijd allang achter zich gelaten. Vroeger had hij keihard gewerkt om zijn bedrijf van de grond te krijgen en iets op te bouwen, nu was dat niet meer nodig. Eerlijk gezegd had hij daar ook geen zin meer in. Ook in zijn werk golden geen kantooruren, maar tegenwoordig had hij medewerkers genoeg om dat op te vangen. Zelf ging hij 's ochtends om half negen de deur uit om 's avonds tegen zessen weer thuis te komen en na al die hectische jaren die achter hem lagen, beviel hem dat uitstekend. Hij hoefde zich niet meer te bewijzen en hij hoefde niet meer van die lange dagen te maken om brood op de plank te krijgen. Zijn uitvaartbedrijf liep uitstekend en hij kon het zich veroorloven om het rustiger aan te doen. En net nu hij dat punt bereikt had en daar ook van genoot, koos zijn vrouw ervoor om carrière te gaan maken. Een carrière die haar op de meest onmogelijke tijden zou opslokken en die hem op de tweede plaats zette. Misschien was dat overdreven gesteld, maar zo voelde het wel voor hem. Hij mocht en kon haar daar niet in belemmeren, dat besefte Leo maar al te goed, maar hij wilde dat ze een ander beroep had gekozen. Administratief medewerkster op een kantoor of zo, zodat hun werktijden gelijk op zouden lopen en ze hun vrije tijd samen door konden brengen. Met een bitter lachje verfrommelde hij de krantenpagina met daarin een advertentie voor een grote stacaravan die hij rood had omcirkeld en die hij haar die avond had willen laten zien. De uren die hij op Colette had zitten wachten, had hij al fantaserend doorgebracht daarover. Een stacaravan in een bosrijke omgeving, dat leek hem ideaal om de weekenden in door te brengen. Had hij nou werkelijk verwacht dat Colette dat plan juichend zou ontvangen? Waarschijnlijk zou ze hem eerder uitlachen. Een caravan was ideaal voor gezinnen met jonge kinderen die in een bovenhuis woonden en voor bejaarde mensen die de rust opzochten, niet voor iemand van halverwege de twintig met een drukke baan. Een baan die haar regelmatig ook in de weekenden verplichtte te werken, vreesde hij. Zuchtend stond hij op om de bewuste pagina in de prullenbak te gooien. Het leek hem het beste om dit plan maar helemaal niet te opperen, dat zou hem in ieder geval de teleurstelling van haar reactie besparen.

Op de één of andere manier moesten ze hier toch uit zien te komen. Eén ding stond in ieder geval vast: hij wilde Colette niet kwijt. Als dat betekende dat hij zich in haar toekomstplannen moest schikken, moest dat maar. Waarschijnlijk waren dat de consequenties als je als man van middelbare leeftijd trouwde met een vrouw die nog maar net volwassen was. Van tevoren had hij heel goed de problematiek van hun leeftijdsverschil ingeschat, maar dit soort zaken waren toen niet aan de orde geweest. Colette werkte tot haar volle tevredenheid in de salon en bij zijn voorstel om parttime te gaan werken, had ze juist enthousiast gereageerd. Ze hadden toen beiden niet kunnen vermoeden dat het gezapige leventje haar al zo snel zou gaan vervelen, maar hij, als man met meer levenservaring, had dat moeten voorzien. Hij nam het zichzelf nu kwalijk dat hij daar niet beter over nagedacht had. Kinderen zouden er nooit komen, het was logisch dat Colette iets anders nodig had om zich op te richten. En hij zou daar in mee moeten gaan, of hij nu wilde of niet, anders zou het ten koste gaan van hun huwelijk. Bij die gedachte werd het helemaal koud om zijn hart. Dat in ieder geval nooit, dacht hij. Colette was alles voor hem. Ook al moest hij het in het vervolg doen met de kruimeltjes van haar vrije tijd, dat was altijd nog beter dan haar helemaal niet te hebben. Sloffend begaf Leo zich naar de slaapkamer, voor het eerst sinds hun huwelijksdag voelde hij zich echt een oude man bij Colette vergeleken. Hij had verwacht dat ze al zou slapen, ze stapte echter net hun bed in op het moment dat hij de slaapkamer betrad.

„Colette, het spijt me," zei hij meteen. „Ik reageerde ondoordacht en onredelijk."

„Dat kun je wel zeggen, ja," reageerde ze stroef. „Laten we daar even heel duidelijk in zijn, Leo. Je bent mijn man, dus natuurlijk zal ik altijd rekening met je houden, maar het feit dat wij getrouwd zijn, houdt niet automatisch in dat jij mijn leven bepaalt. Dit is werk dat ik heel graag wil doen en waar ik helemaal voor ga. Aan jou de keus of je daar constant over blijft mopperen of dat je erin meegaat en me erin steunt."

„Ik weet het. Ik vind het niet makkelijk, dat zeg ik je eerlijk, maar aan de andere kant heb ik ook de tijd gehad waarin ik amper thuis was omdat ik een zaak opbouwde. Op een bepaald punt in het leven is werken nu eenmaal heel erg belangrijk," zei Leo bedachtzaam. Hij trok haar naar zich toe. „Laten we er geen ruzie meer over maken, daar is het leven veel te kort voor."

Ze maakten het weer goed, toch bleef Colette het vervelende gevoel houden dat er iets tussen hen in was komen te staan. Leo had weliswaar bakzeil gehaald, maar niet uit volle overtuiging en zeker niet omdat hij het met haar eens was. Voor haar gevoel gedroeg hij zich als een verstandige vader die toegaf aan zijn opstandige puberdochter omdat ze anders toch haar zin wel door zou drijven en hij een scène wilde vermijden. Het was voor het eerst dat ze ervaarde dat het verschil in leeftijd tussen hen ook betekende dat ze zich allebei in een andere fase van het leven bevonden. Somber vroeg ze zich af of hun liefde groot genoeg was om dat verschil te kunnen overbruggen.

HOOFDSTUK 7

Na die eerste opdracht begon het te lopen voor Colette. Steeds meer tijdschriften, maar ook particulieren wisten haar te vinden en al snel bereikte ze het punt waarop ze af en toe nee moest verkopen omdat ze simpelweg geen tijd meer had om alles aan te nemen wat haar aangeboden werd. In haar werk gaf ze zich voor de volle honderd procent en dat wierp zijn vruchten af. Opdrachtgevers wisten dat ze op haar konden rekenen. Ze had inderdaad het advies van Nick Zwelenburg opgevolgd en een navigatiesysteem gekocht, waardoor het eindeloos zoeken naar het juiste adres tot het verleden behoorde. In principe werkte ze nu ongeveer twintig à vijfentwintig uur per week op freelance basis en met daarbij gevoegd de achttien uur die ze in de salon werkte, had ze het druk genoeg om geen last meer te hebben van verveling. Omdat de freelance opdrachten regelmatig 's avonds of op zaterdag plaatsvonden, had ze door de week genoeg vrije tijd om haar administratie bij te houden en de noodzakelijke klussen in huis te doen. Een heel boek achter elkaar kunnen uitlezen was nu opnieuw een luxe voor haar, maar daar beklaagde ze zich zeker niet over. Colette genoot van haar leven zoals het nu was. In korte tijd had ze veel nieuwe mensen leren kennen via haar werk. Jonge, dynamische mensen met hart voor hun werk, waar ze enthousiast over konden vertellen. Ze werd met open armen ontvangen in deze totaal andere wereld dan ze gewend was en ze voelde zich er thuis.

De enige dissonant was Leo's houding ten opzichte van haar carrière. Colette had met hem afgesproken dat ze niet vaker dan om de week op zaterdag zou werken en dat ze door de weeks minimaal drie avonden thuis zou zijn. Ze hield zich keurig aan deze beloftes, toch bleef hij bokkig en mopperde hij regelmatig dat hij haar zo weinig zag. Met alles wat ze beleefde kon ze niet bij hem terecht, want zodra ze over haar werk begon te vertellen veranderde hij van gespreksonderwerp. Dit was niet wat ze zich had voorgesteld toen ze aan haar opleiding begon en ze baalde er behoorlijk van. Een paar keer had ze geprobeerd er rustig met hem over te praten, echter zonder bevredigend resultaat. Op zulke momenten bromde hij wat, zei hij dat ze overdreef en vervolgens veranderde er niets. Soms vroeg ze zich af of dit het wel waard was, of ze niet beter iets anders kon gaan doen voordat het haar huwelijk zou kosten. Aan de andere kant bedacht ze opstandig dat dit pure onzin zou zijn. Dit was het werk waar ze voor had gekozen en waar ze van hield, net zoals Leo zijn bedrijf had waar hij zich vol voor inzette uit liefde voor het vak. Dat hij problemen had met haar vaak chaotische werktijden was iets waar ze begrip voor op kon brengen, maar meer dan de compromissen sluiten die ze gedaan had, kon ze niet. Het deed haar meer pijn dan ze wilde bekennen dat hij haar werk zo duidelijk niet serieus nam.

„Het is natuurlijk wel leuk om mensen mooi op een foto te laten zetten, maar absoluut niet te vergelijken met het werk dat ik doe," had hij ooit neerbuigend tegen haar gezegd. „Het dient geen enkel groter belang."

Colette had niet op die snerende opmerking gereageerd omdat ze wist dat het dan opnieuw op ruzie uit zou lopen en daar had ze geen zin in. Ze hadden al te vaak ruzie de laatste tijd. Niet alleen vanwege haar werk, ook om allerlei kleine, niet ter zake doende dingetjes. Haar werk lag daar echter wel aan ten grondslag, dat begreep ze heel goed. Leo reageerde zijn onvrede daarover af door te zeuren over van alles en nog wat en Colette was nu eenmaal geen heilige die alles over haar kant liet gaan, dus ging het er af en toe stevig aan toe in huize van Amsbeek.

Los daarvan hielden ze nog evenveel van elkaar als een paar jaar geleden en voor de rest verliep hun relatie uitstekend, alleen vroeg Colette zich tijdens sombere buien wel eens af hoe lang dat nog zo zou blijven. Het feit dat hij niet gelukkig was met wat ze deed en hoe ze haar tijd inrichtte, drukte toch een stempel op hun huwelijk. Buiten dat voelde zij tegenover hem vaak de verplichting om een opdracht niet aan te nemen en dat ging haar steeds meer tegen staan. Ze kreeg steeds meer het gevoel dat hij haar belemmerde en dat vond ze niet eerlijk. Leo had in zijn leven volop de tijd en gelegenheid gehad om zich te ontplooien en dat recht had zij ook. Gelukkig voor haar liet haar agenda niet vaak de tijd om somber te gaan zitten piekeren, wat voor alle partijen waarschijnlijk beter was. Ze merkte tevens dat haar kinderwens steeds meer op de achtergrond verdween naarmate ze het drukker kreeg en dat vond ze een bijkomend voordeel. Het verlangen zat er nog wel, diep weggedrukt, maar ze had te weinig tijd om het boven te laten komen. Al met al beviel dit leven haar uitstekend, het zou helemaal perfect zijn als Leo wat meer met haar mee zou leven en haar wat meer zou steunen, maar ze had er alle vertrouwen in dat dit met de tijd wel goed zou komen. Haar geluk stond voor hem immers bovenaan zijn lijstje, had hij altijd gezegd. Als hij eenmaal doorhad dat dit werk haar gelukkig maakte en haar voldoening schonk en het niet zomaar een bevlieging van haar was, zou hij ongetwijfeld wel bijdraaien. Hoopte ze.

„Hè lekker, zo'n zaterdag thuis zonder verplichtingen."
Leo wreef vergenoegd in zijn handen. „Daar kan ik altijd
intens van genieten, weet je dat? Gewoon lekker niets
hoeven doen waar je geen zin in hebt, alle tijd voor elkaar.
Heerlijk."
„We hebben vanavond anders wel die receptie," herinnerde Colette hem. Het tijdschrift waar ze destijds haar eerste grote opdracht van had gekregen, bestond vijfentwintig jaar en dat werd die avond uitbundig gevierd. Eerst
was er een receptie voor alle relaties, daarna een feest
voor alle medewerkers, dat waarschijnlijk tot diep in de
nacht zou duren. Het beloofde een grote happening te
worden, waar zelfs diverse tv programma's op afkwamen
met hun cameraploegen. Colette was voor alle twee uitgenodigd, maar omdat Leo een vreselijke hekel aan dergelijke feesten had, had ze besloten dat gedeelte over te
slaan. Leo zou haar wel vergezellen naar de receptie, al
was het met tegenzin. Zijn gezicht betrok dan ook bij haar
opmerking.
„Zullen we het eens een dag niet over je werk hebben?"
verzocht hij korzelig. „Wil je koffie? Ik heb gebakjes meegenomen toen ik net brood haalde. Ze zagen er zo lekker
uit, ik kon ze niet weerstaan."
„Ja, lekker," antwoordde Colette. Ze besloot wijselijk niet
op zijn eerdere opmerking in te gaan. Vandaag waren ze
allebei vrij, ze wilde zeker geen ruzie. Leo zag er de laatste tijd toch al niet zo best uit. Hij had last van een verkoudheid die al weken zeurde zonder echt door te breken
en hij was snel moe. Ze zou de zaken vandaag niet op de
spits drijven, nam ze zich voor. Ze zou zelfs niet proberen
hem over te halen alsnog mee te gaan naar het feest, hoewel ze dat eigenlijk wel van plan was geweest. Een derge-

lijk groots opgezet feest leek haar wel wat, bovendien zou het een uitstekende gelegenheid zijn om haar netwerk uit te breiden, vooral omdat er ook tv ploegen kwamen. Een enkel woord in die richting zou echter ongetwijfeld de goede sfeer tussen hen onmiddellijk de nek omdraaien en dat had ze er niet voor over. Maar het bleef jammer. Als ze niet met Leo getrouwd was, zouden geen tien paarden haar hebben kunnen weerhouden om die avond van de partij te zijn, wist Colette. Het was een gedachte waar ze van schrok. Ze was wél met Leo getrouwd en daar was ze gelukkig mee. Leo was alles voor haar. Ze glimlachte warm naar hem toen hij een beker koffie en een schoteltje met een slagroomgebakje voor haar neerzette en nogmaals opmerkte hoe gezellig het was. Ondanks alles vond ze het roerend dat hij zo blij kon zijn met het feit dat ze een hele dag ongestoord met elkaar door konden brengen en zich niet te macho voelde om dat zo duidelijk te laten merken. Ze wist van Lindy dat haar vriend Karel liever zijn tong afbeet dan dat hij iets dergelijks zou zeggen. Maar Lindy was dan ook niet met Karel getrouwd. Ze onderhielden al jaren een LAT relatie, tot beider tevredenheid. Lindy was veel te zelfstandig om haar leven vast te leggen aan een man. De door haar zelf opgezette schoonheidssalon was veel belangrijker voor haar dan welke man dan ook. Voor haar, Colette, lag dat anders. Zij had met volle overtuiging haar leven verbonden aan dat van Leo en ook al liep het de laatste tijd niet echt lekker tussen hen, ze had daar nog steeds geen spijt van. Al zou het wel eens fijn zijn als ze niet voortdurend rekening met hem hoefde te houden en ze meer haar eigen gang kon gaan.
Colette bewoog haar hoofd alsof ze die negatieve gedachten van zich af wilde schudden. Ze weigerde daar dieper

over na te denken en richtte zich tot Leo.

„Gaan we nog iets leuks doen vandaag?" vroeg ze.

„Er is een antiekmarkt waar ik graag heen zou willen," antwoordde hij. Hij rommelde wat tussen een stapeltje papieren op de secretaire en overhandigde haar een folder, die Colette vluchtig doorlas. Zij hield niet zo van dergelijke markten, maar als Leo er graag naar toe wilde, vond ze het geen enkel probleem om met hem mee te gaan.

„Het is wel een eind rijden," zag ze. „Is het de moeite wel waard om zo'n tijd in de auto te zitten voor de paar uurtjes die we er door kunnen brengen?"

„Het duurt tot acht uur vanavond. We kunnen daar ergens eten," stelde Leo voor.

„Dat kan niet, we hebben vanavond die receptie," zei Colette voor de tweede keer. Ze verhardde zich toen ze zag dat zijn gezicht een afwijzende trek kreeg. Hij had dat feest al door haar neus geboord, dat zou hem met de receptie niet lukken, nam ze zich grimmig voor.

„Moeten we daar nou echt naar toe?" vroeg Leo korzelig.

„Tjonge Colet, het is maar een receptie hoor. Waarschijnlijk is het er zo ontzettend druk dat niemand merkt of je er wel of niet bent."

„Daar gaat het niet om. Ik werk veel voor dat blad en ik wil erheen," hield Colette vol.

„Waarom in vredesnaam? Misschien zou je er rekening mee willen houden dat er voor mij niet veel aan is. Ik ken daar niemand."

Colette haalde diep adem. Ze wilde er geen ruzie over maken, maar ze zou ook zeker niet toegeven en thuis blijven. „Als je er zo tegenop ziet, ga ik wel alleen," zei ze kort.

„Je gaat dus liever op zaterdagavond in je eentje weg dan met mij ergens te gaan eten?" begreep Leo gekwetst.

„Nee Leo, veel liever zou ik met jou samen naar de receptie gaan, maar aangezien jij je aanstelt als een klein kind dat zijn zin niet krijgt, laat je me weinig keus." Ondanks haar voornemens het niet op een ruzie uit te laten lopen, klonk haar stem hard en scherp, ze hoorde het zelf.

Voordat hij kon reageren klonk het muziekje van haar mobiele telefoon door de kamer. Het was Annemarie, de hoofdredactrice van het bewuste tijdschrift, zag Colette op het schermpje. Zonder naar Leo te kijken nam ze op.

„Gelukkig dat ik je tref, ik heb je hard nodig," viel Annemarie met de deur in huis. „We zitten met onze handen in het haar, Colet. Kun jij ons vanmiddag uit de brand helpen?"

„Leg eerst even uit waar het om gaat," grinnikte Colette. Zo georganiseerd en efficiënt Annemarie normaal gesproken ook was, tijdens gesprekken kon ze nog wel eens van de hak op tak springen.

„Zoals je weet worden er vanmiddag vier leden van onze redactie, waaronder ik, geïnterviewd voor dat showprogramma op tv. Er wordt een speciaal item gemaakt ter ere van ons jubileum, voorafgaand aan de receptie. De cameraploeg kan hier ieder moment arriveren, maar Joke, die onze make-up zou verzorgen, belde net dat ze gevallen is en in het ziekenhuis zit. Waarschijnlijk is haar rechterpols gebroken. Anouk kan ik nergens bereiken en Judy is met vakantie. Ik weet dat jij liever niet op zaterdag werkt, maar kun je alsjeblieft invallen? De tv-ploeg heeft niemand meegenomen omdat wij uiteraard onze eigen visagisten hebben. Alsjeblieft?"

„Natuurlijk kom ik," zei Colette zonder na te denken. Dit

was overmacht, hier kon niemand iets aan doen. „Het wordt op onze eigen redactie gefilmd, toch?"

„Klopt. Hoe snel kun je hier zijn? Een half uur? Uitstekend. Bedankt, Colet. Ik waardeer dit enorm," zei Annemarie opgelucht.

Colette verbrak de verbinding en keek daarna pas naar Leo. „Ik moet werken," zei ze.

„Dat had ik al begrepen, ja. Tot zover dus onze afspraken," sprak hij ironisch.

„Dit is een geval van overmacht. De visagiste die de make-up voor de tv-uitzending zou verzorgen zit in het ziekenhuis met een gebroken pols."

„Dus mag jij opdraven. Logisch." Het klonk spottend.

„Ze kunnen niemand anders vinden," legde Colette uit. „Het spijt me, Leo, maar dit soort dingen gebeuren nu eenmaal. Het is mijn mentaliteit niet om ze te laten zitten."

„Nee, je laat mij liever in de steek," zei Leo verdacht vriendelijk.

„Stel je niet zo aan," viel Colette onverwachts fel uit. „Als jij twee zieke medewerkers hebt, werk je ook extra uren om te zorgen dat alles gedaan wordt, maar daar mag dan niets van gezegd worden. Nu het om mijn werk gaat, speel je ineens het zielige slachtoffer."

„Iemands begrafenis regelen of iemands make-up opbrengen, daar zit nogal wat verschil tussen."

„Maar het moet wel allebei gebeuren," zei Colette kort. Ze pakte haar koffer en inspecteerde of ze nog genoeg voorraad van alles had. Voor de felle lampen van de televisiecamera's was weer een andere make-up vereist dan voor foto's. Daarna liep ze naar boven, naar hun slaapkamer, om haar eigen outfit voor die avond te pakken. Het zou onzin zijn om vanaf de redactie naar huis te rijden en daarvandaan weer terug naar het restaurant waar de receptie gehouden werd, redeneerde ze, aangezien het bewuste restaurant twee straten achter de redactie gevestigd was. Ze kon zich beter daar omkleden en ter plekke met Leo afspreken, dat scheelde een heleboel gehaast. Snel, maar zorgvuldig vouwde ze haar kleding op in een weekendtas, haar persoonlijke opmaakspulletjes en wat sieraden volgden.

„Zie ik je straks in het restaurant?" vroeg ze terwijl ze in haar jas schoot en nog even snel een kam door haar haren haalde.

„Dat denk ik niet," antwoordde Leo met een strak gezicht.

Verwonderd keek ze op. „Hoezo niet?"

„Als jij je niet aan je afspraken kunt houden, zie ik geen enkele reden waarom ik dat wel zou moeten. Ga maar werken als je dat persé wilt, maar dan kun je ook in je eentje naar die receptie gaan."

„Volgens mij ben jij allang blij dat je een goede smoes hebt om er onderuit te komen," zei Colette bitter. „Je gebruikt deze onverwachte klus gewoon als excuus."

„Als jij dat denkt," zei hij schouderophalend.

„Ik denk het niet, ik weet het wel zeker," sprak Colette langzaam. „Niet voor niets probeerde je me net al over te halen om die receptie te laten schieten. Bedankt voor je steun en begrip, Leo, hier heb ik echt wat aan."

„Overdrijf niet zo. Jij bent degene die je niet aan je beloftes houdt," wees hij haar terecht. „Ik zou gewoon met je zijn meegegaan, maar op deze manier heb ik er geen zin meer in."

„Bekijk het maar," zei Colette vastberaden. Ze ritste haar jas dicht en pakte haar koffer en haar handtas. Een blik op de klok vertelde haar dat ze geen seconde meer mocht verliezen, er zaten mensen op haar te wachten. Ze wilde hier trouwens geen energie meer aan verspillen. Als hij het op deze manier wilde spelen, dan moest dat maar. Hij moest alleen niet denken dat hij de strijd met dit soort kinderachtige acties kon winnen, ze paste ervoor om na het werk als een braaf meisje naar huis toe te komen. „Blijf jij maar in je eentje verzuren thuis, ik bel Emily wel om te vragen of ze met me meegaat. Trouwens, wacht maar niet op me. Nu jij toch niet meegaat, kan ik ook gewoon op het feest blijven. Tot morgen."

Ze draaide zich zonder meer om en verliet het huis. Ze kon zelfs de zelfbeheersing nog opbrengen om de buitendeur heel zachtjes achter zich te sluiten, in plaats van hem in het slot te gooien. Ze zette haar telefoon op handsfree en belde Emily, haar collega. Die reageerde dolenthousiast op deze onverwachte uitnodiging.

„Wacht even, even met Simon overleggen," bedong ze. Colette hoorde ze samen zacht praten aan de andere kant van de lijn.

„Natuurlijk moet je gaan," hoorde ze vaag de hartelijke stem van Simon. „Zo'n kans krijg je nooit meer. Samen uitgaan kunnen we altijd doen." Plotseling schoten de tranen in haar ogen. Waarom kon Leo nou niet zo reageren? Snel knipperde ze met haar ogen om de mist te verdrijven.

„Colette, ben je er nog? Ik kom!" juichte Emily. „Waar moet ik zijn en hoe laat?"

Colette gaf haar het adres door. „Dan zie ik je daar wel. Ik wacht op je bij de ingang," beloofde ze.

„Fantastisch. Tot straks."

Colette glimlachte door haar tranen heen. Voor Emily was haar ruzie met Leo een echt buitenkansje. Lindy was als de verzorgster van de vaste beautyrubriek uiteraard ook

85

uitgenodigd, dus Emily had tijdens het werk in de salon al heel wat over de receptie en het feest gehoord en had verzucht dat ze ontzettend jaloers op hen was. Nu kreeg ze dus alsnog de kans om erbij te zijn, met dank aan Leo. Was hun ruzie toch nog ergens goed voor, dacht Colette met galgenhumor.

Leo had Colette met een strak gezicht nagekeken. Hij had niet verwacht dat ze zo zou reageren. Diep in zijn hart hoopte hij dat het slechts bluf van haar was en dat ze na het verrichten van haar werkzaamheden regelrecht naar huis terug zou komen, maar eigenlijk wist hij wel beter. Voor zover hij Colette kende, zou ze vanavond flink de bloemetjes buiten zetten op dat feest en zeer zeker niet voor middernacht het zaaltje verlaten. Zelfs al had ze het daar helemaal niet naar haar zin, dan zou ze nog niet met hangende pootjes terugkeren, wist Leo. Hij zuchtte diep. Hij had zich zo verheugd op deze zaterdag samen. Het leek wel of ze steeds minder tijd voor elkaar hadden en dat beviel hem helemaal niet. Zo was de verwijdering met Isa destijds ook begonnen, met alle gevolgen van dien. Grotendeels door zijn eigen schuld, hij was eerlijk genoeg om dat toe te geven. Hij werkte in die tijd rustig zestig, zeventig uur per week en was doof voor het geklaag van Isa daarover. Ze moest niet zeuren, dacht hij altijd. Tenslotte werkte hij niet alleen voor zichzelf, maar ook voor haar. Zijn bedrijf nam hem zo in beslag dat hij niet eens merkte dat ze uit elkaar begonnen te groeien en dat Isa zich troostte in de armen van een ander. Met lede ogen zag hij nu zijn tweede huwelijk dezelfde kant opgaan, met dit verschil dat niet hij degene was die teveel werkte, maar zijn vrouw. Juist door zijn eigen ervaringen wilde hij haar daar van weerhouden, maar Colette was doof voor zijn argumenten. Net zo doof als hij vroeger geweest was...

Zo zat Leo urenlang in zijn stoel te piekeren. Zin om naar die antiekmarkt te gaan, had hij helemaal niet meer, evenmin voelde hij met het verstrijken van de tijd honger of dorst. De hoofdpijn waar hij al een paar weken last van had, werd wel steeds erger. Geërgerd draaide hij een paar keer met zijn nek, in de hoop de spieren in die regio wat losser te maken. Het was vast spanningshoofdpijn, daar had hij in het verleden vaker last van gehad. Zijn nek voelde echter ook muurvast aan, alsof er een bankschroef omheen zat. Dan toch maar aspirientje, al hield hij niet zo van pijnstillers. De hoofdpijn begon langzamerhand echt ondraaglijk te worden.

Leo wilde opstaan, maar het lukte hem niet om behoorlijk overeind te komen. De kamer leek om hem heen te draaien en hij zag alles dubbel. Verbijsterd door wat hem zo onverwachts overviel, probeerde hij zich vast te pakken. Het lukte niet. Zijn arm weigerde simpelweg dienst. Ontzet voelde hij hoe hij wegleed. Heel even was hij bang dat zijn hoofd explodeerde, daarna voelde hij niets meer.

HOOFDSTUK 8

Colette werd met open armen ontvangen op de redactie. De cameraploeg was al klaar met de voorbereidende werkzaamheden, dus snel begon ze met het aanbrengen van de speciale televisiemake-up bij Annemarie. Terwijl de hoofdredactrice geïnterviewd werd in haar eigen kantoor, maakte ze de rest van de medewerkers op die voor de camera moesten verschijnen. De interviews liepen lekker vlot en ruim op tijd was alles klaar.

„Dat staat erop," zei één van de cameramensen tevreden. „Vanavond nog wordt de promo gedraaid en morgen is de uitzending. Wij vertrekken nu naar het restaurant om daar alles op te stellen voor de receptie."

„Wordt die ook gefilmd dan?" vroeg Colette.

Hij knikte. „Tussen de interviews door worden opnames van de receptie vertoond. Het hele item gaat twintig minuten duren. Op het feest zijn wij er overigens niet, dat is echt bedoeld voor de medewerkers van het blad, de receptie heeft natuurlijk ook een zakelijke kant. Die is vooral bedoeld voor adverteerders en dergelijke."

Een kwartier later was de cameraploeg vertrokken naar de volgende locatie. De receptie zou om zes uur beginnen, het was nu kwart voor vijf. Colette had absoluut geen zin om nog naar huis te gaan voor die tijd. Ten eerste was dat eigenlijk de moeite niet meer, ten tweede zag ze op tegen een confrontatie met Leo. Ze besloot naar het huis van Emily te gaan en zich daar om te kleden. Dan konden ze meteen samen naar de receptie, dat was voor Emily ook prettiger dan in haar eentje aan te moeten komen. Onderweg belde ze haar op en Emily beloofde wat broodjes voor haar klaar te maken. In alle drukte had Colette geen tijd gehad om te eten en haar maag rammelde behoorlijk. Dat scheen inmiddels gewoonte te worden als ze voor dit tijdschrift werkte, dacht ze met een glimlach, gedachtig haar eerste opdracht voor dit blad. Emily ontving haar al in vol ornaat. Ze droeg een lichtblauwe jurk, met een ragfijn borduursel van zilverdraad en daar onder zilverkleurige, hooggehakte schoenen.

„Kan dit wel?" vroeg ze nerveus. „Is het niet te overdreven of juist te simpel?"

„Het is perfect," prees Colette. „Veel mooier dan het geijkte zwart dat iedereen tegenwoordig bij officiële gelegenheden draagt."

„Wat doe jij aan?"

„Zwart," antwoordde Colette droog. „Ja, sorry, ik ben niet zo fantasierijk als het mijn kleding betreft. Ik hou het graag aan de veilige kant, maar als ik jou zo zie, heb ik spijt dat ik niet iets anders heb gekocht." Ze toonde het zwarte jurkje dat ze bij zich had. Het altijd goede, veilige, zwarte jurkje, geschikt voor alle gelegenheden. In de winkel had ze het perfect gevonden, nu oogde het ineens saai.

„Ik heb iets dat daar uitstekend op zal staan," zei Emily. Driftig begon ze in haar kast te zoeken en haalde er een kort, zwart jasje uit dat druk geborduurd was met allerlei felle kleuren in glinsterend draad. Colette trok het aan en het stond inderdaad fantastisch. Het jasje maakte van het simpele jurkje een creatie die gezien mocht worden. Een zwarte panty, zwarte schoenen en zilveren sieraden maakten het af.

„Fantastisch," zei Colette, zichzelf bewonderend in de grote passpiegel aan de deur van Emily's kledingkast. „Het was een goed plan van mij om hierheen te komen, anders had ik beslist schamel bij jou afgestoken. Voor alleen de receptie was die jurk prima, maar voor het feest is hij te gewoontjes."

„Hoe komt het dat je nu toch ineens naar het feest gaat en waarom gaat Leo niet mee?" informeerde Emily terwijl ze naar beneden liepen. Simon was in de keuken bezig met het zetten van koffie en het smeren van broodjes voor de beide dames.

„Hij had geen zin," antwoordde Colette luchtig. Ze wilde er niet uitgebreid op ingaan en vertellen wat er werkelijk aan de hand was. Dat probeerde ze juist een avondje te vergeten. De ruzie met Leo knaagde de hele middag al aan haar, hoe hard ze ook haar best deed het van zich af te zetten. „Leo is niet zo'n feestbeest," vervolgde ze bij het zien van de bezorgde blik van Emily. Ze wist dat haar collega zich niet zo makkelijk met een kluitje in het riet liet sturen. „Alleen voor mij wilde hij wel mee naar die receptie, maar eigenlijk hoeft dat voor hem niet. Vanmiddag stelde hij voor om thuis te blijven, zodat ik me niet verplicht hoef te voelen om na de receptie met hem mee naar huis te gaan. Hij gunt me een leuke avond en opperde zelf dat het voor mij gezelliger zou zijn om jou mee te vragen."

De leugen rolde makkelijk haar mond uit en ze constateerde dat Emily het leek te geloven. Het ongemakkelijke gevoel dat haar bij deze fantasie overviel, drukte ze weg. Wat had ze anders moeten zeggen? De waarheid? Dat zou de voorpret van deze avond vast en zeker voor Emily verpesten en daar diende ze niemand mee. Het was alleen jammer dat het niet echt zo gegaan was als ze haar vriendin nu wijs wilde maken, dacht Colette terwijl ze, zonder te proeven wat ze at op haar broodje kauwde. Simon had wél onmiddellijk zijn eigen plannen voor deze avond opzij gezet omdat Emily zo graag naar het feest wilde. Zo hoorde het ook te gaan in een relatie. Geven en nemen.

Omdat Colette graag een wijntje lustte en Emily helemaal geen alcohol dronk, besloten ze met haar auto te gaan. „Dan breng ik je vanavond wel thuis en kun je morgen je wagen hier komen halen," zei Emily. „Dat scheelt ongelukken én taxikosten."

Bij aankomst in het restaurant bleek het al behoorlijk druk te zijn. Emily ontdekte Lindy en Karel, dus sloten ze zich aan bij het groepje mensen waar zij mee stonden te praten.

„Jij bent toch Colette?" vroeg een lange man. „Het is al enige tijd geleden dat wij elkaar gezien hebben, maar je naam ben ik nooit vergeten. Sorry, maar hij deed me aan karbonade denken, vandaar. Koteletje." Hij grinnikte op een aantrekkelijke manier.

„O, bedankt," zei Colette beduusd. Vroeger op school was ze regelmatig geplaagd met haar naam, maar inmiddels was het al heel wat jaren geleden dat iemand haar voor het laatst kotelet had genoemd. „Waar kennen wij elkaar eigenlijk van?"

„Oe, dat is een behoorlijke knauw voor mijn zelfvertrouwen. Nick Zwelenburg," stelde hij zich opnieuw voor. „Fotograaf. We hebben ooit samen gewerkt voor dit tijdschrift."

„Die moeder en dochter opdracht," wist Colette weer. „Ik kwam te laat en daar was jij behoorlijk nijdig om."

„Ik wist wel dat je me niet vergeten kon zijn," lachte hij. „Je ziet er fantastisch uit."

„Bedankt," zei Colette voor de tweede keer. Ze monsterde hem onopvallend. Nick droeg een net pak, zoals alle mannen hier, toch had hij het voor elkaar gekregen om eruit te zien alsof hij lukraak iets uit de kast had gepakt. Hij was ook helemaal geen type om nette, stijve pakken te dragen, oordeelde Colette in gedachten. De eerste keer dat ze hem gezien had, had hij een versleten spijkerbroek aangehad met een sweater erop en dat paste veel beter bij hem dan de outfit die hij nu droeg.

„Verplichte kost, hè?" zei hij, alsof hij begreep waar ze aan dacht. „Ik heb zelfs een stropdas bij me, maar eigenlijk ging me dat toch te ver, dus die heb ik onderweg al afgedaan." Hij graaide in zijn broekzak en toonde haar een verfrommelde stropdas.

Colette schoot in de lach. „Ik denk niet dat je daar nog veel aan hebt."

„Ik was toch niet van plan om hem ooit nog een keer te dragen," vertrouwde Nick haar toe. „Ik heb hem ooit eens van mijn moeder gekregen voor Sinterklaas, met een heel gedicht erbij dat zelfs fotografen wel eens netjes voor de dag moeten komen. Dat is drie jaar geleden en dit is de eerste keer dat ik hem omgedaan heb."

„Is je moeder ook naar je toe gekomen om hem te strikken voor je?" wilde Colette weten.

„Bijna wel. Wil je het echt weten? Ik heb mijn buurman om hulp gevraagd," bekende Nick met pretlichtjes in zijn ogen.

Colette geloofde hem onmiddellijk. Ze zag precies voor zich hoe Nick bij zijn buurman had aangebeld en onbeholpen met die stropdas in zijn handen had gestaan. Gelukkig maar dat hij onderweg verstandiger was geworden en hem alsnog had afgedaan, want zo'n das paste nog minder bij hem dan het pak dat hij droeg. Nu droeg hij de bovenste knoopjes van zijn lichtblauwe overhemd open en dat leverde in ieder geval een aangenaam uitzicht op, oordeelde ze met een snelle blik. Boven zijn overhemd uit kwam wat donker borsthaar tevoorschijn en zijn huid was gebruind.

„Ik ben op reis geweest," vertelde hij na een opmerking van haar daarover. „Vier maanden lang heb ik rondgezworven door Australië, Canada en Nieuw-Zeeland. Echt gigantisch. De natuur in die landen is zo overweldigend mooi, daar kun je je geen voorstelling van maken. Ik heb schitterende foto's gemaakt."

„Ga je daar ook iets mee doen, een boek of zo?" vroeg Colette geïnteresseerd.

Hij knikte bevestigend. „Er komt over een paar maanden een fotoboek van uit, ja, met een verslag van mijn reis erbij. De foto's zijn echter het belangrijkste, die vertellen verhalen die ik met een pen nooit op papier kan krijgen. Als het uitkomt, krijg je een presentexemplaar van me," beloofde hij voorbarig.

„Daar hou ik je aan. Kon je eigenlijk makkelijk vrij krijgen voor zo'n lange periode of was dit ook een opdracht?"

„Ik ben freelancer, net als jij, dus ik bepaal voor een groot gedeelte zelf wat ik doe. Ik zou niet zonder die vrijheid kunnen. Voor dit tijdschrift werk ik heel veel, maar ik ben niet in vaste dienst bij ze. Een dergelijke reis zat al heel lang in mijn hoofd en op een gegeven moment heb ik gewoon mijn rugzak gepakt en ben ik gegaan. Dat er achteraf zo'n boek uit voortkomt is mooi meegenomen, maar was niet mijn hoofddoel," vertelde Nick openhartig.

„Dat lijkt me een erg onzeker bestaan," peinsde Colette. „Voor hetzelfde geld stoppen de opdrachten opeens, zeker als je voor zo'n lange tijd weg bent. Ben je nooit bang dat je zonder inkomsten komt te zitten?"

Nick haalde zijn schouders op. „Ik ben heel goed in mijn werk, dus dat zal wel meevallen," meende hij zelfbewust.

„Ik moet er niet aan denken om opgesloten te zitten in een vaste baan met vaste werktijden. Blijkbaar denk jij daar hetzelfde over, tenslotte ben jij ook freelancer."

„Ik heb ook nog een vaste baan van achttien uur per week." Ze verzweeg het feit dat ze bovendien getrouwd was en het riante inkomen van Leo achter zich had staan in geval van nood. Haar huwelijk was iets waar ze op dit moment niet aan wilde denken, want dan kwamen haar gedachten ook weer bij hun ruzie uit.

„Wat staan we hier trouwens zwaar te bomen. We hebben nog niet eens iets te drinken gehad," ontdekte Nick. Met een vanzelfsprekend gebaar wenkte hij één van de rondlopende serveersters, die met een vol blad direct naar hem toe kwam en hem bijna aanbiddend aankeek. Colette bekeek het geamuseerd. Nick was een type dat altijd de aandacht op zich wist te vestigen, waarschijnlijk zelfs onbewust. Hij had niet eens door dat de serveerster hem met koeienogen aanstaarde en bedankt haar vriendelijk terwijl hij Colette een glas rode wijn overhandigde.

Iemand anders uit het groepje richtte het woord tot Nick en het gesprek werd algemeen, toch voelde Colette heel duidelijk zijn aanwezigheid vlakbij haar. Het stemde haar opgewonden en onzeker tegelijkertijd. Tijdens de onontkoombare speeches van de uitgever van het blad en van Annemarie in haar functie als hoofdredactrice, stond Nick vlak achter haar. Colette voelde zijn adem langs haar wang strijken. Een kneepje in haar arm herinnerde haar aan de aanwezigheid van Emily, die ze even totaal vergeten was.

„Dit is fantastisch," fluisterde Emily met glinsterende ogen. „Dank je wel dat je me meegenomen hebt, Colet. Ik heb zulke interessante mensen ontmoet."

„Die zijn er inderdaad zat hier," merkte Colette afwezig op. Haar ogen gleden over de aanwezigen in haar buurt. Het waren voornamelijk, jonge, dynamische mensen, die bruisten van levenslust en ambitie. Mensen met hart voor hun vak, die midden in het leven stonden en waar het enthousiasme vanaf straalde. Het was maar goed dat Leo er niet bij was, want hij zou zich hier absoluut niet thuis gevoeld hebben, schoot het even door haar hoofd heen. Leo was zo'n totaal ander type dan bijvoorbeeld Nick van Zwelenburg. Vergeleken bij hem was Leo ronduit oud, hoe cru dat ook klonk. Voor haar was dit ook een totaal nieuwe wereld, echter wel eentje waar ze zich goed bij voelde. Het begon nu pas tot haar door te dringen hoe gezapig haar leven voordien geweest was. Al jong werd ze geconfronteerd met de verzorging van haar zieke moeder, daarna was ze meteen in het huwelijk gestapt met de veel oudere en rustige Leo. Tijd om jong en uitbundig te zijn, had ze eigenlijk nooit gehad. Omdat ze niet beter had geweten, had ze dat ook niet gemist. Tot nu toe dan. Avonden als deze deden haar pijnlijk beseffen dat ze meer het leven leidde van een vrouw van middelbare leeftijd dan dat van een jonge, onafhankelijke vrouw die alleen verantwoordelijk was voor zichzelf. Het was een constatering waar ze niet verder over na wilde denken. Snel pakte Colette nog een glas wijn van het blad waar een serveerster mee langsliep en ze dronk het in één teug leeg.

„Hé, rustig aan, de avond is nog jong," zei Nick achter haar.

„Nou en?" Colette draaide zich naar hem om en keek hem uitdagend aan. „Misschien heb ik wel zin om hartstikke dronken te worden vanavond."

Hij lachte geamuseerd. „Van mijn kant geen bezwaar. Als ik je dan tenminste thuis mag brengen."

„Die taak heb ik al op me genomen." Emily stak haar arm door die van Colette en trok haar mee, Nick een vernietigende blik toewerpend. „Die man wil iets van je," zei ze grimmig.

„Er zijn ergere dingen in de wereld dan begeerd te worden door een aantrekkelijke man," giechelde Colette.

„Je bent getrouwd."

„Op sommige momenten zou ik dat het liefst vergeten." De alcohol miste zijn uitwerking niet bij Colette. Ze voelde zich licht, blij en overmoedig. Ze zwaaide naar Nick, die van een paar meter afstand met een frons tussen zijn wenkbrauwen naar hen keek.

„Dat meen je niet echt, je hebt alleen teveel gedronken," constateerde Emily hoopvol. „Kom mee naar het buffet om iets te eten, daarna krijg je een kop sterke koffie van me."

„Ik wil helemaal niet eten. Ik wil gewoon een avondje lol maken." Colette trok haar arm los uit die van Emily.

„Met een wildvreemde man? Kijk alsjeblieft uit wat je doet, Colet. Nu lijkt het allemaal leuk en aantrekkelijk, maar morgen heb je er ongetwijfeld spijt van," meende die bezorgd.

„Ik was niet van plan om dingen te doen waar ik spijt van zou moeten krijgen, oké? Ik wil gewoon genieten van deze avond. Kijk, daar komt de band. De receptie loopt nu zo'n beetje op zijn einde. Mooi, dan kunnen we straks lekker dansen, daar heb ik echt zin in."

Met een hele groep, waaronder ook Lindy en Karel, schoven ze aan één van de grote, ronde tafels die aan de zijkanten van de zaal stonden opgesteld. Ook Nick voegde zich even later weer bij hen. Hij pakte een stoel en zette die naast Colette.

„Als dat tenminste mag van je bodyguard," grijnsde hij met een blik op Emily, die aan de andere kant van de tafel met Lindy zat te praten.

„Ze bedoelt het goed," zei Colette glimlachend. „Ze is bang dat ik dronken word en dingen ga doen waar ik later spijt van krijg."

„En één van die dingen ben ik waarschijnlijk," begreep hij meteen.

„Onder andere, ja."

„Zo'n ramp zou dat toch niet zijn?" Zijn blik boorde zich in die van haar. Hij lachte veelbetekenend.

„Precies datzelfde heb ik haar ook gezegd," reageerde Colette opgewekt. Ze hief haar glas naar hem omhoog. „Proost. Op een leuke avond."

„En op onze hernieuwde kennismaking," voegde Nick daar aan toe. „Ik verheug me erop om in de toekomst weer met je samen te werken. Er zijn me al een aantal leuke klussen toegezegd door Annemarie, maar eerst ga ik een paar weken hard aan mijn boek werken."

Veel meer werd er niet tussen hen gezegd omdat de band op dat moment ging spelen en normaal praten bijna onmogelijk werd vanwege de geluidssterkte. Nick trok haar zonder pardon mee de dansvloer op. Ze waren het eerste paar dat die stap waagde en alle ogen waren op hen gericht. Colette, die dat normaal gesproken verschrikkelijk zou vinden, genoot nu van al die aandacht. Haar hoofd voelde licht aan en vanuit haar maag steeg een ongekende opwinding door haar lichaam heen. Dat gevoel werd extra versterkt op het moment dat de band een langzaam nummer speelde en Nick haar in zijn armen trok.

„Ik zou zo wel uren met je door kunnen dansen," fluisterde hij in haar oor.

Met een intens tevreden zucht kroop Colette wat dichter tegen hem aan. Alle gedachten aan Leo, hun huwelijk en hun recente ruzies waren uit haar hoofd verdwenen. Het enige dat telde was het hier en het nu. Het was lang geleden dat ze zich zo prettig en ontspannen had gevoeld. De zachte druk van Nicks lippen op haar wang benam haar even de adem. Zonder zich echt bewust te zijn van wat ze deed, draaide ze haar gezicht iets naar hem toe, waarna hun lippen elkaar beroerden. Een echte kus was het niet, meer een vlinderlichte aanraking, maar een lange, hartstochtelijke zoen had niet meer gevoelens bij haar los kunnen maken. Het leek wel of ze zweefde.

Wat Colette betrof had deze avond nog heel lang mogen duren, maar er kwam een onverbiddelijk einde aan toen Emily haar op een gegeven moment op haar schouders tikte.

„Het is over tweeën. Zullen we naar huis gaan?"

„Ik wil nog helemaal niet weg," zei Colette als een klein kind.

„Het feest loopt op zijn einde. Er zijn weinig dingen zo triest als mensen die persé tot de allerlaatste minuut willen blijven. Kom, we gaan."

Colette stond op, al was het met tegenzin. Het liefst had ze nog uren zo door willen blijven gaan, de realiteit begon echter langzaam tot haar door te dringen nu er wat meer lichten aangingen en veel mensen aanstalten maakten om te vertrekken.

„Je hoeft niet met haar mee als je niet wilt," merkte Nick op. „Ik kan je ook thuis brengen."

„Dat lijkt me niet echt verstandig," snauwde Emily vijandig. Ze wierp hem een dodelijke blik toe, waar Nick niet van onder de indruk was.

„Laat maar." Colette zag dat Nick kwaad begon te worden en legde kalmerend haar hand op zijn arm. „Emily heeft gelijk, het wordt tijd dat we weggaan. Ik heb een heerlijke avond gehad, Nick."

„Voor herhaling vatbaar, hoop ik." Hij pakte haar hand en keek haar diep in haar ogen. Colette bloosde. Ze begon te beseffen dat haar gedrag hem waarschijnlijk hoop op meer had gegeven en dat was nooit haar bedoeling geweest. Hoewel... Als ze heel eerlijk was, moest ze bekennen dat ze niet zou weten hoe de avond geëindigd zou zijn als Emily er niet bij was geweest. Dankzij haar was ze zich ineens ten volle bewust van het feit dat Leo thuis op haar zat te wachten. Ze gaf hem dan ook geen antwoord, glimlachte alleen vaag naar hem.

Op het moment dat ze, samen met Emily, de zaal uitliep, voelde ze de ogen van Nick in haar rug branden. Ze keek echter niet om. Nick was heel even een heerlijke droom geweest, nu wachtte het echte leven weer op haar. Een leven dat haar momenteel weliswaar niet alles bood wat ze wilde, maar dat wel veilig en vertrouwd was. Een leven dat ze, ondanks alles, niet zou willen inruilen voor iets anders.

HOOFDSTUK 9

De koude avondlucht deed haar stemming in één klap omslaan. Somber en zelfs licht verdrietig stapte Colette bij Emily in de auto. Ze huiverde in haar dunne jasje. De avond die achter haar lag, leek ineens onwerkelijk en bizar. Had zij werkelijk zo onbeschaamd zitten flirten met een man die ze amper kende? Dat was niets voor haar, daar was ze veel te serieus voor. De talloze glazen wijn zouden daar wel mede debet aan zijn, vermoedde ze. De kans zat er dik in dat ze morgen een behoorlijke kater zou hebben. Zou Leo leuk vinden, dacht ze even wrang. Dan was niet alleen hun zaterdag, maar ook hun vrije zondag verpest en dat zou hij haar absoluut niet in dank afnemen. Enfin, dat zag ze morgen dan wel weer. Voorlopig maakte ze zich meer zorgen om zijn reactie als ze straks thuis kwam. Ze had hem dan wel voor de voeten gegooid dat ze toch naar dat feest zou gaan, maar hij had vast niet verwacht dat ze tot diep in de nacht weg zou blijven. De kans was groot dat Leo nog op haar zat te wachten, wellicht nerveus en bezorgd vanwege haar lange wegblijven en door die ongerustheid waarschijnlijk ook onredelijk en kwaad. De kans op een nieuwe, dit keer nachtelijke, ruzie was niet denkbeeldig.

„Gaat het wel goed met jou?" Terwijl ze wachtte voor een rood verkeerslicht keek Emily onderzoekend opzij. „Je zit er zo stilletjes bij."

„De anticlimax van een heerlijke avond," zuchtte Colette. „Ik heb het zo naar mijn zin gehad, ik zie er gewoon tegenop om naar huis te gaan."

„Waarom? Als het goed is, hoort een mens het thuis ook naar zijn zin te hebben. Juist thuis."

„Als het goed is, ja," reageerde Colette wrang. Toen schudde ze haar hoofd. „Laat maar."

„Het gaat niet goed tussen Leo en jou," constateerde Emily ondanks die laatste woorden.

„Ik dacht al zoiets."

„Valt het zo op dan?"

„Je deed een beetje té geforceerd aan het begin van de avond toen ik vroeg waarom Leo niet meeging," zei Emily.

„Is het een gewone echtelijke ruzie of speelt er meer?"

„Ik ben bang dat het meer is," bekende Colette. „Leo heeft problemen met mijn werk. Tenminste, met de tijden en met alles wat mijn werk met zich meebrengt, zoals vanavond. Hij wilde absoluut niet mee naar dat feest, hoewel ik er dolgraag naar toe wilde gaan. Vanmiddag begon hij allerlei excuses te bedenken om ook niet mee te hoeven naar de receptie en toen ik hem uiteindelijk voor de voeten gooide dat ik dan alleen ging draaide het op ruzie uit. Hij verweet me dat ik liever tijd met mijn collega's doorbreng dan met hem, maar daar gaat het helemaal niet om. Hij begrijpt niet dat ik van mijn werk hou en dat ik niet zomaar opdrachten af kan slaan omdat de tijdstippen hem niet bevallen. Als ik daar eenmaal aan ga beginnen, zit ik al snel werkeloos thuis."

„Er moet toch een compromis in te vinden zijn," meende Emily bedachtzaam.

„Die hebben we en daar hou ik me ook zoveel mogelijk aan, maar soms kan ik niet anders. Zoals vanmiddag bijvoorbeeld, dat was pure overmacht. Leo vindt dat ik dan gewoon moet weigeren omdat het toevallig onze vrije zaterdag is, maar zo werkt het nu eenmaal niet."

„Misschien moet hij er gewoon even aan wennen dat hij ineens een carrièrevrouw heeft in plaats van een huisvrouw met een parttime baantje," troostte Emily. „Geef het wat tijd."

„Dat hou ik mezelf ook steeds voor. Aan de andere kant ben ik bang dat het nooit zal veranderen. Als zoiets niet van harte gaat, komt het later ook niet. Ik heb wel eens het gevoel dat hij zich bedreigd voelt door mijn carrière, dat hij bang is dat hij op de tweede plaats komt of zo," zuchtte Colette. „Ik weet het gewoon niet meer. Zo ken ik Leo ook helemaal niet. Tijdens mijn opleiding was hij zo'n steun voor me en ineens..." Ze schudde haar hoofd.

„Zelf is hij natuurlijk aan het afbouwen wat zijn werk betreft, misschien wringt daar de schoen wel ergens. Jullie gaan niet gelijk op."

Het bleef een tijdje stil tussen de twee vriendinnen terwijl Emily haar auto door de donkere stad manoeuvreerde.

„Zeg het maar gewoon," zei Colette ineens hard. „Zeg maar dat hij te oud voor me is, dat ik nooit met hem had moeten trouwen en dat dit mijn eigen schuld is."

Emily remde abrupt af voor Colettes huisdeur. „Hoe kom je daar nou bij? Ik vind jullie een hartstikke leuk stel en een dergelijke gedachte is nog nooit bij me opgekomen. Bij jou blijkbaar wel."

„Dit zal toch wel het eerste zijn dat iedereen gaat roepen," meende Colette.

„Daar moet je je niets van aantrekken. Ieder stel heeft problemen op zijn tijd, bij iedereen om andere redenen. Jullie leeftijdsverschil zal inderdaad wel eens voor wat wrijving tussen jullie zorgen, zoals Simons hechte band met zijn moeder wel eens wrijving tussen ons veroorzaakt en Lindy's overdreven zelfstandigheid soms problemen met Karel geeft," merkte Emily verstandig op. „Ga nou zelf niet meteen de oorzaak daarin zoeken, want dan maak je het alleen maar erger. Als Leo twintig jaar jonger was geweest, had hij misschien precies hetzelfde gereageerd."

„Daar zal ik nooit achter komen."

„Daarom heeft het ook geen nut om erover te speculeren. Jullie houden van elkaar, dat kan zelfs een blinde zien. Problemen zijn er om overwonnen te worden, vergeet dat niet. Over een tijdje lachen jullie hier waarschijnlijk om."

„Dat hoop ik dan maar." Colette keek naar hun huis, waar alles donker was. Een garantie dat Leo al sliep, gaf dat echter niet. Ze herinnerde zich nog hoe ze hem aangetroffen had na haar eerste opdracht. Toen had hij ook in het donker, verongelijkt, op haar zitten wachten. „Ga je nog even mee naar binnen om iets te drinken en even bij te kletsen?" vroeg ze aan Emily. Als Leo inderdaad sliep was het wel gezellig om nog even na te praten met haar vriendin en zo niet, dan was Emily's aanwezigheid een mooie afleiding. Met haar erbij zou hij zich wel inhouden, wist ze.

Emily aarzelde. Ze was doodmoe en wilde het liefst zo snel mogelijk naar haar eigen huis, maar een blik op Colettes witte gezicht deed haar van mening veranderen. Haar vriendin had het nodig om even stoom af te blazen, dat was duidelijk.

„Even dan," besloot ze.

Achter Colette aan liep ze het huis binnen. Colette knipte het licht in de gang aan en opende de deur van de huiskamer. Inwendig zette ze zich schrap voor bijtend commentaar vanuit het donker, maar het bleef stil. Op het moment dat ze ook het licht in de huiskamer aandeed, werd haar van schrik de adem benomen. Onwillekeurig slaakte ze een kreet.

„Wat is er?" Nietsvermoedend keek Emily over Colettes

schouder heen naar binnen. Daar, voor zijn stoel en met een glas en een gebroken plantenpot naast hem op de grond, lag Leo. Zijn houding was verkrampt en één oog was half open. Hij is dood, schoot het door Colettes hoofd heen. Ze wilde gillen, maar er kwam geen geluid over haar lippen. Wezenloos bleef ze in de deuropening staan. Het was Emily die haar opzij duwde en bij Leo neerknielde. „Hij ademt nog. Bel een ambulance," zei ze kort tegen Colette. „Schiet op!"

Colette ontwaakte uit haar starre houding. Met stijve benen liep ze naar de telefoon en met trillende vingers toetste ze het nummer van de alarmdiensten in. Haar hoofd was volkomen leeg op dat moment. Terwijl ze in de hoorn praatte, kon ze alleen maar naar dat geliefde, vertrouwde gezicht op de grond staren. Blijf leven, blijf leven, herhaalde ze voortdurend in stilte, als een bezwering naar hem toe. Terwijl de ambulancebroeders naar huis binnen kwamen en na een kort onderzoek Leo op een brancard legden om hem mee te nemen naar het ziekenhuis, bleef Colette stokstijf midden in de kamer staan. Ze was niet bij machte om iets te doen of om zelfs maar te reageren. Haar ogen waren strak gericht op het lichaam van Leo.

Emily duwde haar in de richting van de gang.

„Ik ga met je mee naar het ziekenhuis. Wil je met de ambulance mee of met mijn wagen?"

„Met jouw wagen," antwoordde Colette automatisch. Ze moest er niet aan denken om in de ambulance te zitten als het misschien helemaal misging onderweg. Ze kon niet machteloos toekijken hoe Leo...

„Pak je sleutels," onderbrak Emily haar gedachten. „Heb je Leo's verzekeringspapieren? Vergeet de deur niet af te sluiten, Colet." Onder dwang van Emily deed Colette alles wat er gedaan moest worden. Als in een roes vond ze zichzelf even later in de wagen terug. De ambulance was al met gillende sirenes vertrokken. Pas in de wachtkamer van het ziekenhuis, waar een vriendelijke verpleegster hen naar toe verwezen had, kwam ze een beetje bij en drong de volle omvang van de situatie tot haar door.

„Dit is mijn schuld," zei ze hard. „Ik had hem nooit alleen moeten laten. Als ik thuis was geweest…"

„Dan was dit ook gebeurd," vulde Emily die zin aan.

„Maar dan was hij niet alleen geweest. Wie weet hoe lang hij zo gelegen heeft," sprak Colette vol zelfverwijt. „Als ik niet weggegaan was, had hij onmiddellijk hulp gehad."

„Als Leo niet zo koppig was geweest en gewoon met je mee was gegaan ook," weerlegde Emily dat nuchter.

„Hoe kun je dat nu zeggen? Hij gaat misschien wel dood."

„Dat verandert niets aan de situatie zoals die was. Ga jezelf geen nodeloze schuldgevoelens aan zitten praten, Colet. Leo heeft waarschijnlijk een hartaanval of een herseninfarct of zo gekregen, dat heeft niemand kunnen voorzien of kunnen voorkomen."

„Maar als ik bij hem was geweest…"

„Je kunt toch moeilijk ieder moment van de dag bij hem zijn om zijn handje vast te houden," zei Emily beslist. Ze begreep de gevoelens van haar vriendin, maar het leek haar belangrijk om dat zo snel mogelijk uit haar hoofd te praten. „Dit was een samenloop van omstandigheden. Niemand heeft hier schuld aan."

Colette zweeg. Het klonk redelijk genoeg wat Emily zei, maar zo voelde het toch niet voor haar. Terwijl Leo in elkaar gezakt was en voor zijn leven had liggen vechten, had zij zitten flirten met Nick en bewust alle gedachten aan haar echtgenoot uit haar hoofd gebannen. Expres was ze de hele avond weggebleven om vooral niet toe te geven aan Leo's, in haar ogen, onredelijke eisen. Ze kon zich daar onmogelijk niet schuldig over voelen, ongeacht wat Emily zei. Simon, gewaarschuwd door Emily, voegde zich bij hen en zo begon het lange wachten. Eindelijk verscheen er een dokter, die zakelijk meedeelde dat Leo een hersenbloeding had gehad.

„Een hersenbloeding," herhaalde Colette wezenloos. Dit klonk zo absurd. Hoe kon Leo, die kerngezond was, nou zomaar een hersenbloeding krijgen?

„Op dat soort vragen is helaas geen antwoord," zei de arts. „We noemen dit een bloeding zonder oorzaak, al is er uiteraard altijd een aanleiding. In het geval van uw man komt het vooral door zijn veel te hoge bloeddruk. Een angiografie heeft geen oorzaak aangetoond, wat een aneurysma in de hersenen uitsluit. Een operatie is dan ook niet nodig."

„Maar wat gaat u dan doen?" vroeg Colette zich af. „Hij zal toch behandeld moeten worden, neem ik aan?"

„We beginnen meteen met het toedienen van bloeddrukverlagers, dat is momenteel het belangrijkste. De bloeding in de hersenen is gestopt, we kunnen nu niet anders doen dan afwachten hoe groot de schade is. De verpleegster brengt u zo bij hem. U mag maar even blijven en hou er rekening mee dat uw man nu vooral rust nodig heeft." De arts wilde weglopen, maar Colette pakte hem aan zijn arm vast. Onwillig draaide hij zich naar haar toe.

„Gaat hij…? Ik bedoel…"

„Hij leeft nog, dat is het voornaamste," zei de dokter onverwachts vriendelijk. „Over de toekomst kan niemand wat zeggen, maar hij is bij kennis en dat is een heel gunstig teken. Sterkte, mevrouw." Met een kort knikje haastte hij zich weg, naar de volgende patiënt die zijn hulp nodig had.

Simon en Emily bleven in de wachtkamer terwijl Colette even naar Leo toe mocht. Angstig en onzeker betrad ze de kamer waar hij lag. Ze schrok van de aanblik die hij bood. Met een bleek gezicht en verbonden aan talloze apparaten lag hij op het bed. Zijn rechtermondhoek hing slap naar beneden, evenals zijn rechterooglid. De fijne rimpeltjes om zijn ogen heen leken zich plotseling verdiept te hebben en even leek het haar toe dat zijn haren veel grijzer waren dan in werkelijkheid het geval was. Leo was in één klap van een vitale vijftiger een oude, zieke man geworden, drong het met een schok tot haar door. Het was zo'n enorme tegenstelling met de man die ze uren eerder thuis achtergelaten had, dat ze hem bijna niet herkende.

Hij probeerde te lachen toen hij haar zag, maar het was slechts een schamele poging. Er kwamen geluiden uit zijn mond die Colette niet herkende als zijn stem en waar ze zeker geen woorden in kon ontdekken.

„Zeg maar niets," zei ze zacht terwijl ze zijn hand pakte en er een kus op drukte. „O Leo, het spijt me zo. Ik had niet weg moeten gaan."

Weer mompelde hij iets wat ze niet kon verstaan. Met tranen in haar ogen keek ze naar de strijd die hij voerde om normale woorden uit te brengen. Het lukte niet. Zweetdruppeltjes verschenen op zijn voorhoofd en zijn goede mondhoek vertrok in een machteloze uiting van zijn frustratie.

„Het komt allemaal goed," beloofde ze hem met een brok in haar keel. Ze geloofde haar eigen woorden niet, maar hoopte dat Leo zich daar aan op zou trekken. „Ik heb net met de dokter gesproken. Je leeft nog en je bent bij kennis, volgens hem ziet het er heel gunstig uit voor je. Nu denk je waarschijnlijk dat je niets meer kan, maar met de tijd wordt het alleen maar beter. Je hoeft in ieder geval niet geopereerd te worden en de bloeding is gestopt."

Leo strekte zijn linkerhand naar haar uit en ze begreep dat hij zijn rechterarm niet kon gebruiken. Zijn hele rechterkant was blijkbaar verlamd, ze kon alleen maar hopen dat dit ooit nog goed zou komen. Eerlijk gezegd had ze daar niet zoveel vertrouwen in. Hij zag er zo deerniswekkend uit.

Na een paar minuten moest ze zijn kamer verlaten. Ze beloofde hem de dag erna terug te komen. „Ik kom iedere dag," fluisterde ze snel in zijn oor terwijl de verpleegster ongeduldig bij de deur stond te wachten. „Dan werk ik maar een tijdje niet, dat is nu niet het belangrijkste." Even dacht ze zijn goede oog te zien oplichten, maar het was slechts zo'n kort moment dat ze zich voorhield dat het verbeelding was geweest. Leo kon toch onmogelijk blij zijn omdat hij haar via een hersenbloeding eindelijk had gekregen waar hij wilde.

Later thuis lukte het haar niet om te slapen, hoewel de ochtend inmiddels ruimschoots aangebroken was en ze al ruim vierentwintig uur wakker was. Onrustig beende ze door de kamer heen, ten prooi aan gevoelens van verdriet, onmacht en zelfverwijt. Emily kon zoveel zeggen, zelf wist ze dat ze wel degelijk schuld had. Wat had het nu eigenlijk uitgemaakt als ze met Leo mee was gegaan naar die antiekmarkt in plaats van met alle geweld naar die receptie te willen gaan? Het was er zo druk geweest dat ze haar heus niet gemist zouden hebben en tenslotte was het geen verplichting. Het was goed voor haar netwerk, had ze tegen Leo gezegd. Nu lachte ze even schamper bij die her-innering. Hoezo netwerk? Ze had de hele avond met Nick doorgebracht. Dansend en flirtend. Het was maar goed dat Leo daar niets vanaf wist.

Zijn bloeddruk was te hoog, had de dokter gezegd. Ook daar was zij mede schuldig aan. Een hoge bloeddruk werd vaak veroorzaakt door spanningen en die waren er de laatste tijd meer dan genoeg geweest tussen hen. Ze had de zaken niet zo op de spits moeten drijven en meer reke-ning met hem moeten houden, verweet Colette zichzelf. Tenslotte had Leo een jaar lang rekening met haar gehou-den terwijl ze haar opleiding deed en wat was haar dank daarvoor geweest? Ze liet hem op hun kostbare vrije zaterdag barsten omdat er een opdracht en een feestje lonkte!

Er moesten dingen veranderen, nam Colette zichzelf ferm voor. Op hetzelfde moment realiseerde ze zich dat er sowieso van alles zou veranderen. Wat Leo mankeerde, was niet van voorbijgaande aard. Het was geen blinde-darmontsteking die eruit gehaald kon worden, waarna de patiënt na een herstelperiode weer gewoon zijn oude leven op kon pakken. Hij zou waarschijnlijk blijvend gehandicapt zijn, al was het afwachten in welke mate. Maar honderd procent herstel zat er niet in, Colette wist genoeg van dergelijke trauma's af om daar niet op te reke-nen. Leo zou voortaan altijd hulp nodig hebben.

In een poging haar hoofd een beetje leger te krijgen, schoof ze achter haar computer en stuurde ze een lange mail naar Mariska. Ze beschreef wat er allemaal gebeurd was en spaarde zichzelf daarbij niet.

'Ik zal mezelf nooit kunnen vergeven dat ik met een ander aan het flirten was terwijl Leo voor zijn leven vocht. Hoe heb ik dat kunnen doen? Ik zou er alles voor over hebben om de tijd een dag terug te draaien, helaas ligt dat niet in mijn vermogen. Wat ik wel kan doen, is er voortaan volledig voor hem zijn om iets goed te maken van de afgelopen tijd. Die ruzies lijken nu zo onbenullig. En werk is zo onbelangrijk vergeleken bij wat Leo overkomen is. Hier blijkt wel weer uit dat het leven in één klap kan veranderen. Eerlijk gezegd ben ik bang voor de toekomst.'

Het luchtte Colette enigszins op om haar gevoelens op deze manier te uiten. Ze hoopte dat Mariska snel een mail terug zou sturen, maar de uren gingen voorbij zonder dat er een berichtje in haar postvak verscheen. Misschien was Mariska wel net zo kwaad op haar als zijzelf was, dacht Colette somber. Voor de zoveelste keer controleerde ze haar mails, maar weer was er niets. Op hetzelfde moment ging de bel. Sloffend liep ze naar de deur, in de verwachting dat het Emily en Simon zouden zijn. Die hadden beloofd in de loop van de middag nog even langs te komen. Tot Colettes stomme verbazing stond echter Mariska voor de deur. Ze zei niets, maar spreidde allebei haar armen uit. Verdere aansporing had Colette niet nodig om zich in de armen van haar vriendin te storten. Eindelijk, voor het eerst, kon ze haar tranen de vrije loop laten. Hoewel ze Mariska pas één keer had gezien, op de dag dat ze het leven van haar zoontje Wessel redde, voelde het heel normaal en vertrouwd aan om tegen haar schouders al haar verdriet eruit te snikken.

Wat waren vrienden toch veel waard, dacht ze dankbaar bij zichzelf. Ze was zich er heel goed van bewust dat ze haar vrienden de komende tijd heel hard nodig zou hebben.

110

Er brak een bijzonder drukke tijd aan voor Colette. Haar werk in de salon van Lindy ging uiteraard gewoon door en haar freelance opdrachten wilde ze ook niet verwaarlozen, toch zorgde ze er voor dat ze iedere avond naar het anderhalf uur durende bezoekuur ging. Stipt om half zeven kwam ze de zaal op waar Leo lag en pas om acht uur ging ze weg. Soms wist ze zelf niet hoe ze het voor elkaar kreeg. Het avondeten schoot er vaak bij in. Meestal haalde ze onderweg naar het ziekenhuis een broodje, dat ze in de auto opat, of ze stopte onderweg van het ziekenhuis naar huis bij de snackbar of de Chinees voor iets warms. Eten was trouwens het laatste waar ze zich nu druk over maakte. Ze nam nu minder opdrachten aan, toch kreeg ze tot haar verrassing nog steeds van alles aangeboden. Daar ging haar theorie dus dat ze overal 'ja' op moest zeggen om niet in onmin te vallen bij de opdrachtgevers, dacht ze nuchter bij zichzelf. Blijkbaar deed ze haar werk goed genoeg, dus daar hoefde ze zich voorlopig geen zorgen over te maken. Werk vond ze op dit moment trouwens het minst belangrijke, al zorgde Colette er wel voor dat ze niet alles weigerde. Leo was buiten levensgevaar, maar dat bood geen enkele garantie voor de toekomst. De arts had haar verteld dat een tweede hersenbloeding, waar altijd kans op was, wel eens fataal zou kunnen zijn. Als dat zou gebeuren, had ze haar werk juist hard nodig, wist Colette. Anders zou ze in een diep, zwart gat vallen waar maar heel moeilijk uit te komen was. Juist haar werk hield haar nu op de been en als de situatie van Leo zou verslechteren, kon ze alle afleiding gebruiken. Relatief gezien ging het goed met hem. De bloeddrukverlagers sloegen goed aan en hij voelde zich beter, al was zijn rechterkant nog steeds verlamd. Zijn spraak was wel grotendeels teruggekomen. Soms moest hij even zoeken naar de juiste woorden en wat hij zei klonk niet altijd even duidelijk, toch kon hij zich redelijk goed verstaanbaar maken. Een fysiotherapeut werkte hard met hem om zoveel mogelijk functies terug te krijgen. Er was Colette echter al verteld dat hij niet honderd procent zou herstellen. De kans dat hij ooit weer normaal zou lopen of zijn rechterarm weer goed zou kunnen gebruiken, was maar heel klein. Tussen al haar drukke bezigheden door, was ze al bezig om hun huis zoveel mogelijk aan te passen aan zijn nieuwe beperkingen. Een traplift was al aangevraagd, maar er zou nog wel een behoorlijke tijd overheen gaan voordat die werkelijk geïnstalleerd kon worden. De stapel papieren die ze hiervoor in moest vullen, was bizar hoog. Zo ging het ook met de speciale zitting en steunen voor in de douche en het toilet, maar dat was van later zorg. Zolang de traplift er niet was, kon Leo toch niet naar de badkamer boven, redeneerde Colette praktisch. Op de één of andere manier moest ze hem beneden verzorgen. Ze regelde een hoog bed via de thuiszorg, dat ze neer liet zetten in het kleine kamertje achter de huiskamer. Het was hun bedoeling om dat kamertje ooit bij de keuken te laten trekken en er zodoende een grote eetkeuken van te maken, maar zoals dat zo vaak gaat bij dergelijke plannen, was dat er nog niet van gekomen. Nu kwam dat goed uit, want het kamertje was weliswaar niet zo groot, er paste echter prima een bed in, plus een kastje en een verrijdbaar tafeltje. Ook liet Colette de drempels in huis weghalen en zorgde ze ervoor dat er een rolstoel klaar stond op het moment dat Leo naar huis mocht. Via de thuiszorg zou er iedere ochtend en avond iemand komen om hem te wassen en aan te kleden. Twee keer in de week moest hij naar fysiotherapie, wat met speciaal rolstoelvervoer mogelijk was. Leo had echter al gezegd dat hij liever wilde dat Colette hem dan bracht en dat had ze zonder bedenkingen beloofd. Nu, aan de vooravond van Leo's thuiskomst, vroeg ze zich af hoe ze dat voor elkaar moest krijgen. Het ging niet alleen om het brengen, hij moest tenslotte ook weer terug naar huis. Hem brengen, daarna naar huis rijden om hem vervolgens een half uur later weer op te moeten halen, zou onzinnig zijn, dus zou het haar iedere dinsdag en vrijdag minstens anderhalf uur kosten. Omdat ze die ochtenden in de salon werkte, moest de fysio dus in de middagen gepland worden, wat betekende dat ze op die middagen geen opdrachten aan kon nemen. Het zou erg lastig worden in de toekomst om haar freelance werk te combineren met de zorg voor Leo, ontdekte ze. Er bleef simpelweg niet genoeg tijd over naast haar baan en alle andere bezigheden om veel aan te kunnen nemen. De thuiszorg zorgde er weliswaar voor dat Leo gewassen en aangekleed werd, maar er kwam natuurlijk veel meer bij zijn verzorging kijken. Voorlopig was hij bijna volledig afhankelijk van haar. Het was een taak die ze met liefde uit wilde voeren, aan de andere kant wilde ze niet haar eigen leven totaal in de wacht zetten. Nu stoppen met dergelijke opdrachten, betekende dat het straks extra moeilijk werd om er weer in te komen. Annemarie, de hoofdredactrice van het tijdschrift waar ze inmiddels het meeste werk voor deed, had haar alle medewerking toegezegd. Colette wist echter ook dat ze daar niet eindeloos gebruik van kon maken. Nu waren ze erg soepel en informeerden ze bij speciale opdrachten eerst of zij die op zich kon nemen voordat er een ander inge-schakeld werd, maar dat zouden ze niet eeuwig blijven doen. Op een gegeven moment werden de opdrachten uiteraard gewoon aan iemand anders gegeven, wat niet meer dan terecht was.

Al piekerend kwam Colette tot de conclusie dat ze iets op moest geven, dat kon niet anders. Het zou haar baan bij Lindy worden, besloot ze. Dat gaf haar een stuk meer vrij-heid en meer tijd voor andere opdrachten en zo kon ze toch veel tijd met Leo doorbrengen. Per opdracht kon ze dan bekijken of het mogelijk was, zonder dat ze vast zat aan verplichte werktijden. Waarschijnlijk was het makke-lijker om vier ochtenden van negen tot half twee te blijven werken, zodat ze een vast schema had waar ze zich op kon richten, aan de andere kant boden de wisselende tijdstip-pen van de freelance opdrachten meer flexibiliteit. Boven-dien voelde ze zich in dat wereldje als een vis in het water en vormde het werk een uitdaging voor haar. Het werk bij Lindy deed ze al zolang, ze wilde niet op haar veertigste terugkijken en constateren dat ze in haar eerste baan was blijven hangen en verder nooit iets had meegemaakt.

Oké, dat stond dus vast, ze zou haar ontslag nemen bij Lindy. Het nemen van die beslissing gaf haar al een zeke-re rust. Haar wereld stond ineens op zijn kop, er moesten dingen veranderen om het allemaal aan te kunnen. Tot nu toe had ze dat voor zich uitgeschoven, maar nu de knoop was doorgehakt had ze er vrede mee.

Een blik op haar horloge vertelde Colette dat het kwart voor vijf was. De salon sloot om half zes, het ziekenhuis was een kwartier rijden van de salon af. Het beste kon ze nu meteen met Lindy gaan praten en daar vandaan naar het bezoekuur gaan, dat redde ze makkelijk. Als het dan toch moest, dan ook maar onmiddellijk.

Net op het moment dat Colette bij de schoonheidssalon arriveerde, wilde Lindy de deur op slot draaien. Ze zette hem echter meteen uitnodigend open bij het zien van haar medewerkster.

„Kom binnen. Je bent vast niet gekomen om te helpen met schoonmaken en opruimen," zei ze met een blik op Colettes ernstige gezicht.

„Nee, er is iets dat ik met je wil bespreken," gaf die toe.

„Laten we dan maar naar mijn kantoortje gaan. Emily is al weg, die heeft vanavond een etentje van het bedrijf van Simon, dus ze had een uurtje eerder vrij genomen," vertelde Lindy. „Wil je iets drinken?"

„Iets fris graag."

Ongemakkelijk schoof Colette op haar stoel heen en weer terwijl Lindy in het kleine keukentje bezig was. Ze zag er tegenop om haar werkgeefster, die in de loop der jaren tevens een vriendin was geworden, te vertellen dat ze ontslag wilde nemen. Ze werkte hier al zo lang en van het begin af aan tot hun beider tevredenheid. Het viel niet mee om dat zo ineens achter zich te moeten laten. Het was een besluit dat ze had moeten nemen onder druk van de omstandigheden, niet iets waar ze langzaam naar toe gegroeid was.

„Zeg het eens," zei Lindy even later terwijl ze haar een glas cassis overhandigde.

„Ik ga hier weg," viel Colette onmiddellijk met de deur in huis. „Het spijt me, maar ik moet mijn ontslag nemen."

Lindy knikte. „Zoiets had ik al verwacht, ja," zei ze rustig.

„Echt waar?" vroeg Colette verbouwereerd. Ze wist niet welke reactie ze verwacht had, maar zeker niet deze kalme constatering.

„Natuurlijk. Je bent een mens, geen robot en er zijn nu andere prioriteiten in je leven. Wat overigens niet wil zeggen dat ik het er ook mee eens ben. Weet je het heel zeker, Colet? Ben je je goed bewust van alles wat je opgeeft?"

„Ik heb niet veel keus."

„Dat is onzin, ieder mens heeft een keus, altijd. Het gaat erom wat je kiest," meende Lindy. „Je kiest ervoor om Leo zelf te verzorgen, ten koste van je eigen leven. Een loffelijk streven, maar is het ook wat je zelf echt wilt of denk je dat dit moet omdat het van je verwacht wordt?"

Colette beet op haar onderlip bij deze onverwachte, directe vraag. Daar had ze zelf nog niet eens over nagedacht, maar nu Lindy het zo duidelijk stelde, besefte ze dat ze eigenlijk helemaal haar werk niet kwijt wilde. Maar het moest, vond ze. Leo was haar echtgenoot, niet zomaar een willekeurige kennis. De trouwbelofte die ze hem gegeven had, vatte ze niet lichtzinnig op. Bovendien hield ze van hem, het was geen opoffering om hem te helpen nu hij het zo moeilijk had. Tenminste, niet zo'n grote opoffering. Al denkende analyseerde ze haar eigen gevoelens. Natuurlijk wilde ze veel liever gewoon blijven werken en net doen of er niets veranderd was, maar dat kon nu eenmaal niet. Niet alleen Leo's leven was overhoop gehaald door zijn hersenbloeding, ook het hare, dat was logisch. Ze moesten beiden een manier vinden om hier zo goed mogelijk mee om te gaan. Van zijn kant betekende dat vooral veel oefenen in de hoop weer enigszins normaal te kunnen functioneren, van haar kant hield dat in dat ze hem daarin steunde en tijd voor hem vrij maakte. Haar baan was daarbij van ondergeschikt belang, hoezeer ze die ook zou missen.

„Allebei een beetje, denk ik," antwoordde ze na een paar

minuten dan ook bedachtzaam. „Natuurlijk ben ik als zijn vrouw de aangewezen persoon om hem bij te staan, daar is verder geen discussie over mogelijk. Het is geen kwestie van wel of niet willen, het moet. Ik zou niet met mezelf kunnen leven als ik hem nu in de steek zou laten om zelf vrolijk mijn eigen leven voort te zetten."

„Dat is dan ook wel het andere uiterste," zei Lindy. „Je kunt er ook voor hem zijn zonder je eigen leven helemaal opzij te zetten."

„O, maar dat is ook de bedoeling niet. Ik blijf wel freelancen," haastte Colette zich duidelijk te maken. „Het is niet zo dat ik vierentwintig uur naast Leo ga zitten om zijn handje vast te houden. Daar zou hij ook niet bij gebaat zijn, denk ik. Maar recht op meer tijd dan ik nu voor hem heb, heeft hij wel, vandaar."

„Gelukkig, ik was al bang dat je jezelf helemaal zou wegcijferen en ik kan me niet voorstellen dat jij of hij daar gelukkiger van zou worden. Jammer dat je weggaat, Colet. Ik zal je missen. Je hebt nog aardig wat vakantiedagen open staan, neem je die meteen op zodat je zo snel mogelijk weg kunt of blijf je liever je opzegtermijn uit werken en laat je die dagen uitbetalen?" informeerde Lindy.

„Laat ik ze maar opnemen," besloot Colet. „Leo komt over een paar dagen thuis, dan is het wel prettig als ik even geen verplichtingen buiten de deur heb. Kom jij niet in de problemen als ik zo op stel en sprong wegga?"

„Dat is wel te regelen. Als één van ons ziek wordt, moeten de andere twee het ook samen redden, dat is tot nu toe altijd gelukt."

„Als je eens omhoog zit, bel me dan," bedong Colette. „Dan kan ik je altijd uit de brand helpen."

„Ik zie wel. Dat meisje wat hier afgelopen jaar stage heeft gelopen, is op zoek naar een baan, ik denk dat ik haar maar benader. Besef je wel dat dit geen tijdelijke regeling is? Ik kan een nieuwe werkneemster straks niet ontslaan als jij tot de ontdekking komt dat je de verkeerde beslissing hebt genomen," zei Lindy op zakelijke toon.

„Maak je geen zorgen, dat zal niet gebeuren," gaf Colette even koel terug. Het viel haar tegen dat Lindy zo reageerde. Natuurlijk had ze gelijk met wat ze zei, maar de toon waarop was niet zo prettig. Het klonk alsof ze het tegen een willekeurige werkneemster had en Colette had toch het gevoel dat ze meer dan slechts collega's waren geweest in die jaren. Maar misschien had ze zich daarin vergist, dacht ze even later op weg naar het ziekenhuis. Misschien had Lindy alleen maar zo aardig en vriendelijk gedaan zodat zij, Colette, zich meer in zou zetten voor haar werk. Nu ze niet langer in vaste dienst was, was het dus ook niet nodig om nog langer vriendschappelijk te doen. Lindy was hard en zakelijk, dat had ze altijd geweten. Desondanks had ze haar altijd graag gemogen. Dit kwam aan als een koude douche. Ze had meer verwacht van Lindy. Maar daar was ze wel vaker bedrogen in uitgekomen. Ze had ook altijd meer verwacht van haar vader, verwachtingen waar hij niet aan had willen of kunnen voldoen. Hetzelfde gold voor de broer van Leo, Jaap. De twee broers hadden niet veel contact met elkaar, maar Colette had Jaap onmiddellijk in kennis gesteld van het feit dat zijn broer in het ziekenhuis lag. Jaap had beloofd een keer langs te komen, maar in de weken dat Leo nu in het ziekenhuis vertoefde, was dat nog steeds niet gebeurd. Ook Emma en Pieter, de vrienden van Leo die het hotel bezaten waar zij hun huwelijksreis hadden doorgebracht, had-

118

den niet de moeite genomen om hem een keer op te zoeken. Ze hadden slechts een kaartje gestuurd waarin ze hem beterschap wensten en dat was het. Colette begreep dat ze het druk hadden nu het zomerseizoen er aankwam, maar hoeveel moeite en tijd kostte het om even de telefoon te pakken om naar iemands gezondheid te informeren? Dan had zij het met haar vriendinnen een stuk beter getroffen. Emily en Simon waren al een paar keer op het bezoekuur verschenen, hoewel ze Leo amper kenden en Simon had een aantal praktische zaken voor haar geregeld terwijl Emily een paar keer voor haar gekookt had. Mariska mailde trouw iedere dag om haar een hart onder de riem te steken en had ook al een paar keer gebeld, bovendien was ze onmiddellijk naar haar toe gekomen toen ze het nieuws had gehoord. Dat waren tenminste mensen waar je van op aan kon en dat was hard nodig tijdens zware tijden.

Het gesprek met Lindy had langer geduurd dan Colette ingeschat had, bovendien was het erg druk onderweg. Voor het eerst sinds Leo in het ziekenhuis lag, was ze niet stipt op tijd op het bezoekuur. Pas om tien over zeven betrad ze de zaal waar hij lag. Hij begroette haar knorrig en beantwoordde haar zoen niet.

„Waar bleef je nou? Als je hier ligt, doe je eigenlijk niets anders dan uitkijken naar het bezoekuur en het is erg vervelend als iedereen liefhebbende mensen aan zijn bed heeft terwijl jij maar niet op komt dagen. Is het nou echt zo moeilijk om daar een beetje rekening mee te houden?" vroeg hij chagrijnig.

„Dit is de eerste keer dat ik wat laat ben."

„Het blijft vervelend. Je had het zeker weer te druk met je werk?" informeerde Leo sarcastisch.

Colette hield met moeite een scherpe opmerking binnen. Een onredelijke Leo kon ze er nu helemaal niet bij hebben, maar ze had begrip voor zijn buien. Hij kon bijna niets en moest zich verschrikkelijk machteloos voelen. Van een gezonde, vitale man was hij in één klap veranderd in een hulpbehoevende invalide. Een mens zou van minder onredelijk worden.

„Integendeel juist. Ik ben net even langs de salon gegaan om mijn ontslag in te dienen," zei ze dan ook rustig. „Als jij straks thuis ben, wil ik meer tijd met jou doorbrengen."

Zijn gezicht verhelderde en met zijn linkerhand pakte hij haar hand vast.

„Sorry," zei hij berouwvol.

„Laat maar, het is wel goed." Colette glimlachte naar hem, maar haar hart was zwaar. Leo was op dit moment niet de makkelijkste persoon om mee om te gaan en hoewel ze daar begrip voor had en hem zijn buien niet kwalijk nam, wist ze dat het moeilijk zou worden. Waarschijnlijk nog moeilijker dan ze nu verwachtte. Die anderhalf uur per dag dat ze hem nu zag als ze bij hem op bezoek ging, was niets vergeleken bij wat haar straks te wachten stond, daar was ze zich heel goed van bewust.

Omdat Leo's stemming plotseling omsloeg naar vrolijk en gezellig, vermoedde Colette dat hij uit haar woorden had begrepen dat ze helemaal niet meer zou gaan werken. Ze besloot hem op dat moment niet wijzer te maken. Als hij straks thuis was, merkte hij vanzelf wel dat ze een aantal opdrachten per week aannam en dan was het vroeg genoeg om de discussie daarover aan te gaan. Iedere dag had genoeg aan zijn eigen zorgen, redeneerde ze in gedachten. Ze was allang blij dat Leo op dit moment weer even zijn oude zelf leek en praatte gezellig met hem mee. Ze wist inmiddels uit ervaring dat zijn goede bui in slechts een fractie van een seconde om kon slaan.

HOOFDSTUK 11

De dag brak aan dat Colette Leo uit het ziekenhuis op mocht halen. Hij had pertinent geweigerd om naar een revalidatiecentrum te gaan, wat door de arts geopperd was. Leo meende dat hij goed genoeg met zijn beperkingen om kon gaan om thuis te kunnen zijn, al had de arts hem ervan geprobeerd te overtuigen dat ze hem in zo'n centrum een stuk verder konden helpen.

„Veel beter dan het nu is zal het niet meer worden," had hij gezegd. „Maar in een revalidatiecentrum leren ze u daar zo goed mogelijk mee om te gaan. U zult er versteld van staan wat u met één hand nog allemaal kunt doen, u moet alleen leren hoe dat moet."

„Geen sprake van," was Leo's besliste antwoord geweest. „Alles wat ik wil doen, kan ik, bovendien ben ik niet alleen thuis. Mijn vrouw kan me helpen."

De dokter was er verder niet op ingegaan, maar had Colette in gedachten sterkte gewenst. Leo was geen makkelijke patiënt.

Zwijgend zat hij onderweg naar huis naast haar in de auto, zijn stok tussen zijn knieën geklemd. Kleine stukjes kon hij met behulp van die stok nog wel lopen, voor grotere afstanden was hij aangewezen op een rolstoel.

„Ik heb gebak gehaald," zei Colette opgewekt. „Omdat ik blij ben dat je weer naar huis komt."

„Waarom?" vroeg hij zich cynisch af. Hij maakte een hulpeloos gebaar naar zijn benen. „Ik ben een hulpbehoevende invalide geworden, zo blij kan je daar toch niet mee zijn."

„Ik heb je liever zo dan helemaal niet," antwoordde Colette daarop. Ze kneep even bemoedigend in zijn knie.

„En dat hulpbehoevende zal wel meevallen. Je kan minder dan voor die hersenbloeding, maar dat wil niet zeggen dat je als een kasplantje verder moet leven. Een mens kan heel veel, als hij wil."

„Insinueer je daar mee dat ik niet wil?" vroeg hij fronsend.

„Dat zeg ik niet."

„Zo klonk het wel. Als een bedekt verwijt dat ik me niet genoeg inspan om het normale leven weer op te pakken. Dat zal me nooit meer lukken, Colet. Ik zal de rest van mijn leven aan één kant verlamd blijven, ongeacht wat ik doe. Het is me vaker opgevallen dat jij daar nogal luchtig over denkt. Voor iemand die gezond is zal het ook wel moeilijk te begrijpen zijn, maar het zou fijn zijn als je probeert je een beetje in te leven in mij."

„Ik doe niet anders. De laatste weken heb ik me helemaal verdiept in dit onderwerp. Er zijn voorbeelden te over van mensen die een hersenbloeding hebben gehad, maar die zich daarna weer helemaal teruggevochten hebben. Er zijn er ook die ergere beperkingen hebben dan jij, maar die toch volwaardige leden van de maatschappij zijn. Ook als gehandicapte kun je heel veel betekenen voor de wereld," zei Colette rustig.

Hij bromde iets onverstaanbaars, waar ze wijselijk niet op in ging. Als ze op iedere slak zout ging leggen, zou hun leven samen een hel worden. Leo was nooit makkelijk geweest als hij iets mankeerde. Zelfs een simpele verkoudheid maakte van hem een doodzieke patiënt die dacht dat zijn laatste uur geslagen had en die niets anders kon dan zichzelf wentelen in zelfmedelijden. Ze kon niet verwachten dat hij nu, na zoiets ernstigs, positief de draad van het leven weer oppakte en er vol voor ging. Dat had meer tijd nodig.

Zwaar leunend op Colette schuifelde Leo stapje voor stap-je vanaf de auto naar de voordeur. Bij het buurhuis ging onopvallend de vitrage een stukje opzij. „Ze staan alweer te gluren, die aasgieren," zei Leo bitter. „Altijd belust op sensatie." Weer reageerde Colette niet. Haar hart stroomde over van medelijden met hem, maar met hem meepraten zou hem niet verder helpen. Ze wilde echter ook niet overal dwars tegenin gaan.

Dit korte ritje naar huis had haar echter al een voorproef-je gegeven van hoe het er voortaan aan toe zou gaan. Moedeloos vroeg ze zich nu al af of ze dit vol zou houden. Ze had destijds ook twee jaar voor haar moeder gezorgd, dus ervaring met zieke mensen had ze wel. Haar moeder had echter tot het laatste moment de moed erin gehou-den. Ondanks de slopende ziekte die haar lichaam lang-zaam maar zeker liet aftakelen, had ze altijd vol levenslust gezeten en had ze het Colette nooit nodeloos moeilijk gemaakt. Integendeel, zij was juist diegene die Colette oppepte als die het even niet meer zag zitten. Van Leo hoefde ze dat waarschijnlijk niet te verwachten. Hij was overduidelijk de zielige patiënt en zij de sterke gezonde vrouw die er voor hem moest zijn. Die rolverdeling had hij vanaf dag één duidelijk gemaakt. Zij mankeerde niets, dus had ze ook geen reden tot klagen. Dat ook haar leven vol-ledig overhoop lag, was iets waar hij geen oog voor had. Het leek wel of zijn enigszins sombere, negatieve kant extra versterkt was door de hersenbloeding, terwijl zijn lieve en vrolijke kant volledig weggevaagd was. Colette kon alleen maar hopen dat daar in de toekomst weer ver-andering in zou komen en dat Leo met het verstrijken van de tijd zichzelf weer werd. De vrolijke, sympathieke, zorgzame en lieve man waar ze van was gaan houden, ondanks dat hij twee keer zo oud was als zij. Die man vormde wel een flagrante tegenstelling met de brommerige, oude man die nu tegenover haar op de bank zat. Zijn haren waren grijzer geworden en zijn ogen waren diep weggezakt in zijn mager geworden gezicht. De huid van zijn nek en zijn kin leek te ruim om zijn botten te zitten en hing rimpelig naar beneden. Zijn nog steeds afhangende rechtermondhoek gaf hem een deerniswekkend uiterlijk.

„De rest van de week heb ik helemaal geen afspraken gepland," zei Colette opgewekt in een poging hem enigszins op te beuren. „Ik had nog zoveel vakantiedagen bij Lindy staan dat ik met onmiddellijke ingang weg kon, dus deze week ben ik er helemaal voor jou. Kunnen we rustig samen wennen aan de situatie zoals die nu is en uitproberen wat wel en niet handig is."

„Waar moet jij nou aan wennen?" vroeg Leo narrig. „Ik ben degene die niets meer kan, jij niet. Trouwens." Hij ging ineens rechtop zitten, alsof de strekking van haar woorden nu pas tot hem doordrong. „Wat bedoel je met deze week? Je hoeft toch helemaal niet meer naar de salon terug?"

„Nee, maar ik blijf natuurlijk wel werken," zei Colette zo kalm mogelijk. „Minder dan tot nu toe, maar enkele opdrachten per week wil ik toch wel aannemen."

Ze zette zich schrap voor zijn reactie, maar hij werd niet kwaad, zoals ze verwacht had. Zijn mond vertrok tot een smalle, bittere streep.

„Natuurlijk," herhaalde hij langzaam. „Ja, voor jou is dat natuurlijk. Ik zal nooit meer kunnen werken."

„Wie zegt dat?" Strijdlustig keek ze hem aan. „Het zal niet makkelijk worden, maar je kan alles wat je wilt. Geef de strijd niet meteen op, Leo. Er zijn genoeg dingen die je kunt doen."

„Tv kijken en lezen, ja," zei hij hard. „En niet te vergeten die oefeningen die de fysiotherapeut me opgegeven heeft. Goh, wat een nuttige dagindeling. Met die oefeningen heb ik trouwens hulp nodig."

„Ik ben er toch voor je?"

„Als jij weer gaat werken zal daar weinig tijd voor over blijven. Maar ach, wat heeft het ook voor nut? Alle oefeningen ter wereld kunnen me de macht over mijn ledematen niet terug geven," zei hij moedeloos.

„Dat is niet waar." Colette ging voor hem op de grond zitten en pakte allebei zijn handen vast. Ze voelde hoe krachteloos zijn rechterhand was en weer stroomde ze vol medelijden. Het liefst zou ze hem nu tegen zich aan willen trekken, hem troosten en met hem mee huilen. „Je kan het wél," zei ze desondanks op dringende toon. „Samen gaan we er tegenaan. Wedden dat je binnen een jaar weer in staat bent om je eigen bedrijf te leiden?"

„Hou jezelf niet voor de gek," snauwde hij. Hij trok zijn goede hand uit de hare, de andere hand bleef willoos liggen. „Kijk nou naar me. Ik ben niets meer waard. Was ik maar dood gegaan." Plotseling begon hij te huilen, waardoor Colette hem zijn uitval onmiddellijk vergaf. Nu deed ze wel wat haar hart haar ingaf. Als een klein kind wiegde ze hem heen en weer in haar armen.

„Zeg dat nooit meer. Voor mij ben je alles waard," zei ze gesmoord. „Samen komen we hier wel doorheen, Leo. Hou je maar aan mij vast."

Ondertussen vroeg ze zich echter vertwijfeld af hoe dit verder moest gaan. De hele situatie was op zich al moeilijk genoeg, als Leo het opgaf werd het helemaal onhoudbaar. Er moest toch een manier zijn om hem weer wat levenslust terug te geven, ze wist alleen niet hoe.

De dag verliep verder moeizaam. Allebei konden ze niet goed hun draai vinden in deze nieuwe situatie. Colette liep onvermoeibaar af en aan met hapjes en drankjes, waar hij het grootste deel van weigerde. Ze sleepte boeken voor hem aan, zette de tv aan, maar niets was goed voor hem. Aan het einde van deze eerste dag thuis was ze, net als hij, doodop. Ze was blij toen de thuishulp arriveerde om hem te wassen, om te kleden en in bed te installeren, ook al was het pas acht uur. Als het op deze manier bleef doorgaan, werd ze oud voor haar tijd, dacht ze moedeloos. Maar wat was het alternatief? Ze kon hem onmogelijk aan zijn lot over laten, al had ze het gevoel dat ze nu al, na één dag, niets liever wilde doen dan de deur achter zich dichttrekken en zo ver mogelijk weg gaan.

Hoewel Leo flink had gemopperd omdat de thuiszorg zo vroeg gekomen was en hij als een klein kind naar bed werd gestuurd, sliep hij al snel, constateerde Colette toen ze na een kwartiertje bij hem ging kijken. Doodmoe van deze ongewone dag. Net als zijzelf, trouwens. Ze overwoog of ze zelf ook maar niet vast naar bed zou gaan, na een lange, hete douche. In tv kijken had ze geen zin meer en een boek kon haar momenteel helemaal niet boeien. Aan de andere kant was het ook wel even heerlijk rustig zo, met een slapende Leo. Daar kon ze beter even van genieten. Nog voor ze een beslissing genomen had, ging de deurbel over. Bezoek, dat was het laatste waar ze nu behoefte aan had. Heel even kwam ze in de verleiding om net te doen of ze niet thuis was, maar uit angst dat de onaangekondigde bezoeker nog een keer zou bellen en daarmee Leo zou wekken, deed ze toch open. De man die voor de deur stond, was wel de laatste die ze verwacht had te zien.

„Mag ik even binnen komen?" vroeg Lennard. Hij voelde zich duidelijk niet op zijn gemak.

„Natuurlijk," antwoordde Colette niet erg toeschietelijk. „Als je maar zachtjes doet. Leo slaapt net, hij is ziek."

„Dat heb ik gehoord, ja. Daarom ben ik hier." Achter haar aan liep Lennard naar de huiskamer, waar hij haar een kus op haar wang gaf. „Ik schrok nogal van dat bericht. Hoe gaat het nu?"

Colette haalde haar schouders op. „Hij is vandaag naar huis gekomen. Ik kan er nog niet veel van zeggen. Zijn rechterkant is nog steeds zo goed als verlamd en de dokter verwacht daar niet zoveel verbetering meer in. Voor de rest is het redelijk. Hij kan zich in ieder geval goed verstaanbaar maken, dat is in het begin wel anders geweest. Dankzij de medicijnen is zijn bloeddruk gezakt, dus de kans op een herhaling is niet zo groot meer."

„En hoe gaat het met jou?" vroeg haar vader toen. Hij keek haar vorsend aan.

Weer trok ze met haar schouders. „Met mij is niks aan de hand, hoor," antwoordde ze afwerend.

„Dat geloof ik niet. Je man is op het nippertje aan de dood ontsnapt en hij zal nooit meer volledig herstellen. Ga me niet vertellen dat deze feiten je niets doen. Het moet moeilijk zijn," begreep hij.

„Het is voor Leo erger dan voor mij," zei Colette kortaf. Ze vroeg zich af wat haar vader hier kwam doen. Sinds dat mislukte etentje op de dag dat ze haar certificaten gehaald had, hadden ze elkaar niet meer gezien. Eerlijk gezegd had ze hem ook niet erg gemist. Ze had al jong geleerd dat ze niet veel aan haar vader had, daar zou wel nooit verandering in komen. Ze had in ieder geval geen zin om haar gevoelens met hem te bespreken.

„Ik hoorde vanmiddag pas wat er gebeurd is. Ik schrok er nogal van," bekende Lennard. „Leo is ongeveer even oud als ik. Dat zet een mens wel aan het denken, moet ik zeggen."

„Ben je daarom hier?" vroeg Colette. Ze kon het sarcasme niet helemaal uit haar stem weren. „Omdat je bedacht hebt dat het leven eindig is? Het spijt me, maar daar heb ik weinig aan. Er zijn talloze momenten geweest waarop ik je nodig had. Nu hoeft het niet meer."

„Dat klinkt erg hard."

„Het heeft weinig zin om er omheen te draaien. De feiten liggen er nu eenmaal. Ik weet dat je Leo nooit hebt gemogen, dus je hoeft nu ook niet te komen huichelen aan zijn ziekbed."

„Ik kom hier niet om te huichelen, Colet, maar om je te helpen," verklaarde Lennard. „Je hebt gelijk als je zegt dat Leo niet de schoonzoon is die ik zelf voor je uitgekozen zou hebben, maar daarom gun ik hem dit nog niet. Dit gun je niemand. Als je ergens hulp bij nodig hebt, schroom dan niet om me te bellen."

„Waarom?" vroeg Colette zich hardop af. Ze was oprecht verbaasd door dit gebaar van haar vader. Juist van hem had ze iets dergelijks niet verwacht. Ze kende hem niet anders als oppervlakkig en egoïstisch, niet bepaald iemand aan wie je je op kon trekken als je steun nodig had.

„Zoals ik net al zei: er zijn genoeg momenten waarop ik je hard nodig had, maar toen gaf je nooit thuis."

„Mensen worden ouder en wellicht ook verstandiger. Ik weet dat ik nooit zo'n goede vader voor je ben geweest," zei hij tot haar grote verbazing.

„Dat is het understatement van het jaar," zei Colette

wrang. „Ik begrijp het niet. Ik wil hier nu niet meteen weer alle koeien uit de sloot trekken en je overladen met verwijten, maar ik snap er echt niets van. Dat je de verantwoording voor een gezin niet aankon, oké, maar dat je onze afspraken nooit nakwam en je je volledig onttrok aan je plichten gaat er bij mij niet in. Je moet eens weten hoe vaak ik huilend in mijn kamer heb gezeten omdat ik zo naar je verlangde. Een kind trekt zich dat persoonlijk aan. Ik voelde me afgewezen en minderwaardig."

„Dat spijt me." Het klonk oprecht genoeg, toch kon Colette hem niet zonder meer geloven. Deze spijtbetuiging kwam ook wel erg laat. „Maar er zitten twee kanten aan het verhaal, vergeet dat niet."

„Waag het niet om mijn moeder aan te vallen," viel ze scherp uit. Haar ogen flikkerden en ze balde haar handen tot vuisten.

Lennard bleef kalm onder haar uitval. „Het is geen kwestie van aanvallen, maar van simpelweg alle feiten op tafel leggen. Ik wil mezelf absoluut niet schoon praten, want ik ben geen goede vader geweest. Die intentie had ik ook nooit. Hoe hard dat misschien ook in jouw oren klinkt, ik heb nooit kinderen willen hebben, juist omdat ik zelf maar al te goed weet hoe ik ben. Je moeder wist dat ook, ondanks dat raakte ze toch zwanger. Een ongelukje, zei ze. Later heeft ze toegegeven dat ze het expres heeft gedaan en dat was de doodsteek voor onze relatie. Ik voelde me bedrogen, onder druk gezet en vernederd door deze gang van zaken. Mijn gevoelens werden niet serieus genomen. Iedereen, je moeder voorop, bleef me maar voorhouden dat ik me niet zo aan moest stellen en dat ik ondanks alles toch dolveel van het kind zou gaan houden."

„Wat dus niet gebeurde," zei Colette wrang.

„O nee, dat is niet waar," haastte Lennard zich haar te verzekeren. „Ik was wel degelijk meteen stapelgek op je, alleen wist ik niet wat ik met die gevoelens moest doen. Jij was meteen mijn kind, maar ik kon niet je vader zijn. Mijn hele leven had ik me verzet tegen het idee om ooit zelf een kind op de wereld te zetten, dus toen jij er eenmaal was, wist ik niet wat ik moest doen. Ik hield van je, maar ik kon niet mijn hele leven omgooien en een brave huisvader worden. Dat wilde ik ook niet. Noem het egoïstisch, want dat was het ook, maar zo ben ik altijd geweest."

„Dat is wel een heel makkelijk excuus."

„Zo was het niet bedoeld. Ik begrijp het als je niets meer van me wilt weten, maar ik vond dat ik je dit moest vertellen. Sinds onze laatste ontmoeting in dat restaurant liep ik daar al mee rond, maar het kwam er nooit van om naar je toe te komen, tot ik hoorde wat er met Leo gebeurd was. Dat kan mij morgen ook overkomen en dan is het misschien te laat." Lennard maakte een hulpeloos gebaar met zijn handen. „Doe er verder mee wat je wilt. Weet alleen dat ik toch van je hou en als je hulp nodig hebt... Enfin, dat heb ik al gezegd."

„Dat waardeer ik ook wel," zei Colette na een korte stilte. Ze wist niet goed wat ze met dit verhaal aan moest. Het was prettig om uit zijn mond te horen dat hij van haar hield, want als kind had ze daar naar gesnakt, maar het kwam wel erg laat. Ze kon daar nu weinig meer mee. Hij moest in ieder geval niet denken dat ze hem nu om zijn hals zou vallen en alles wat er tussen hen fout was gegaan zou vergeven en vergeten, dacht ze opstandig. Aan de andere kant waardeerde ze het dat hij naar haar toe gekomen was. Haar vader kennende was dat geen makkelijke stap geweest voor hem.

„Hoe is het met Rachel?" vroeg ze. Ze wist niet wat ze moest zeggen en wilde de stilte niet te lang laten duren, dus vroeg ze het eerste wat in haar hoofd opkwam.

„Rachel?" herhaalde hij verbaasd.

„Je vriendinnetje. Ze was er bij in dat restaurant, de laatste keer dat we elkaar zagen," verduidelijkte Colette. „Of is ze soms alweer verleden tijd?"

„O ja, allang." Lennard lachte. „Ik wist echt even niet wie je bedoelde. Dat heeft maar heel kort geduurd, twee weken of zo."

„Zoals gewoonlijk," zei Colette spottend. Dit was tenminste vertrouwd terrein.

„Zet het idee maar uit je hoofd dat ik ooit opnieuw zal trouwen en een brave, trouwe echtgenoot zal worden. Dat is niets voor mij, dat is in het verleden wel gebleken. Die fout zal ik niet snel nog een keer maken. Wat dat betreft lijk je niet op mij, Colet. Ik was stomverbaasd toen je me vertelde dat je met Leo ging trouwen."

„Niet iedereen houdt ervan om vrijblijvend door het leven te gaan."

„Ik wel, dat zit nu eenmaal in me." Lennard stond op en maakte aanstalten om weg te gaan. „Ik ben blij om te zien dat jij opgegroeid bent tot een sociale, serieuze vrouw. Aan de andere kant had ik graag gezien dat je iets meer egoïsme had bezeten."

„Wat bedoel je?" vroeg Colette onzeker.

„Ik denk dat je dat wel weet. Je bent nu zevenentwintig. Ben je werkelijk van plan de rest van je leven op te offeren voor Leo? Daar ben je veel te jong voor. Je bent op een leeftijd dat je moet genieten, dat je verliefd moet zijn en dat je een carrière op moet bouwen. Hij kan onmogelijk van je verlangen dat je de beste jaren van je leeftijd slijt met de verzorging van je hulpbehoevende man."

„Ik hou van hem. Het is voor mij geen opoffering om voor hem te zorgen," reageerde Colette geërgerd. Lennard had een gevoelige snaar geraakt met die woorden, maar dat wilde ze voor geen prijs laten merken. „Liefde duurt niet altijd voor eeuwig. Liefde moet ook gevoed worden om te kunnen blijven bestaan en daar is in jullie geval geen sprake meer van, als ik het goed begrijp. Als hij van jou houdt, laat hij je gaan."

„Niet iedereen gaat er vandoor zodra het te heet onder de voeten wordt," zei Colette scherp. Demonstratief hield ze de buitendeur voor haar vader open. „Dag pa, tot ziens. Bedankt dat je langs gekomen bent," zei ze plichtmatig.

Na zijn vertrek liep ze naar het kamertje waar Leo's bed stond en lang keek ze op hem neer, ten prooi aan tegenstrijdige gevoelens. Wat haar vader net zo boud beweerd had, bevatte een kern van waarheid, dat besefte ze maar al te goed. Waar bleef hun liefde als de situatie niet zou verbeteren? Op deze manier zouden Leo en zij verpleegster en patiënt worden in plaats van man en vrouw. Zelf had hij ook gezegd dat ze niet bij hem moest blijven als er iets met hem gebeurde, herinnerde ze zich opeens. Tijdens hun huwelijksreis was dat geweest. Nu er echt iets aan de hand was, zou hij er waarschijnlijk heel anders over denken. Als zij hem nu in de steek zou laten, zou dat zijn doodsteek zijn, wist Colette. Dat kon ze nooit over haar hart verkrijgen. Ze wilde trouwens niet weg, ze hield van hem. Zorgzaam legde ze de deken wat beter over hem heen voor ze op haar tenen het kamertje uit sloop.

HOOFDSTUK 12

In de weken erna veranderde er niet veel in Leo's toestand. Hij bleef chagrijnig, mopperde op alles en reageerde cynisch op haar pogingen hem wat op te beuren. De behandelingen van de fysiotherapeut onderging hij gelaten. De oefeningen die hem voorgeschreven werden, voerde hij thuis plichtmatig uit, maar alleen omdat Colette daar op aandrong en hem zoveel mogelijk hielp. Vooruitgang zat er in ieder geval niet in. Leo bleef trouwens stug beweren dat dergelijke oefeningen totaal geen zin hadden, dus was het ook niet zo verwonderlijk dat hij niet vooruit ging, dacht Colette. Lichaam en geest werkten nu eenmaal nauw samen. Zij werd er inmiddels stapelgek van. Gelukkig had ze haar werkzaamheden inmiddels gedeeltelijk hervat, zodat ze wat afleiding had. Het was gewoon prettig om de sfeer thuis af en toe even te kunnen ontvluchten. Buiten de deur kon ze net doen of er niets aan de hand was en ze een normaal leven leidde. Andere visagisten, stylistes en fotograven waar ze regelmatig mee werkten, wisten niets van haar omstandigheden af en dat wilde ze graag zo houden. De meesten wisten niet eens dat ze getrouwd was. Colette maakte ze ook niet wijzer, want dan zouden ze ongetwijfeld iedere keer meelevend informeren hoe het nu ging en als ze aan het werk was, wilde ze dat juist graag vergeten. Ze had haar werk hard nodig om de toestand thuis het hoofd te kunnen bieden. De zorg voor Leo viel haar ontzettend tegen. Ze deed het met liefde voor hem, maar er kwam totaal niets voor terug. Geen enkel blijk van waardering, geen liefhebbend woord of liefdevol gebaar, helemaal niets. Leo vond het niet meer dan normaal dat zij alles voor hem deed en hij leek er geen seconde bij stil te staan dat zijn ziekte ook voor haar een zware klap was. Als ze verzuchtte dat ze moe was reageerde hij hatelijk met de opmerking dat ze daar blij om moest zijn, want het betekende dat ze gezond was en alles kon doen wat hij niet meer kon. Een simpel 'dank je wel' kon er nooit af bij hem, maar het lukte hem prima om haar af te snauwen als ze iets verkeerds deed of wanneer ze niet op precies het juiste tijdstip aan kwam snellen met zijn medicijnen. Van de lieve, attente Leo van voor zijn hersenbloeding was niets meer over. Daar voor in de plaats was een oude, chagrijnige en hatelijke man gekomen. Een man waar ze steeds meer een hekel aan begon te krijgen...

Als hij maar eens één keer liet merken dat hij waardeerde wat ze voor hem deed, dan zou ze de hele wereld weer aan kunnen, dacht Colette op een dag wanhopig bij zichzelf. Ze stond in de keuken te wachten tot het broodrooster zijn werk had gedaan, want Leo had te kennen gegeven dat hij trek had in geroosterd brood. Al pakte hij maar af en toe haar hand vast of gaf hij haar een kus. Ze kon zich de laatste keer dat ze elkaar gekust hadden niet eens meer herinneren. De traplift was inmiddels geïnstalleerd en het bed van de thuiszorg was weer opgehaald. Leo en zij sliepen, net als vroeger, weer samen in het brede tweepersoonsbed, maar daar was dan ook alles mee gezegd. Van lichamelijk contact of enige andere vorm van intimiteit was geen sprake meer. Ze was niets meer dan zijn particuliere verpleegster, een rol die haar behoorlijk op begon te breken. Dat hij niet in staat was tot seks vond ze niet het ergste, wel dat ze totaal geen man en vrouw meer waren. De hersenbloeding had behalve zijn verlammingen ook een totale karakterverandering teweeg gebracht.

Colette kende haar Leo niet meer terug. Als hij zich zo had gedragen toen ze elkaar net leerden kennen, was ze nooit en te nimmer met hem getrouwd, wist ze. Ze schrok zelf van die gedachte, maar kon het niet ontkennen. Leo was Leo niet meer, dat was het ergste aan deze hele situatie. Het kostte haar steeds meer moeite om niet te reageren op zijn negatieve gedrag, waardoor ze om de haverklap ruzie hadden. Meestal liep ze dan weg om een escalatie te voorkomen, maar dat hield ook in dat er nooit iets uitgepraat werd. Ze waren niet meer gelijkwaardig, dat was het grootste probleem.

Ze schrok op bij het geluid van het opspringende brood. Automatisch besmeerde ze de twee boterhammen met boter, legde er plakjes kaas op en schonk een beker koffie in. Met dit alles op een dienblad liep ze even later de kamer in, waar Leo, zoals gewoonlijk, somber voor zich uit zat te staren. De televisie stond aan, maar hij keek niet eens naar het scherm. Desondanks liet hij een gebiedend 'laat dat' horen toen Colette haar hand uitstrekte om hem uit te zetten.

„Je kijkt niet eens," merkte ze op.

„Ik zit te luisteren. Veel anders kan ik niet doen." Met zijn linkerhand pakte hij een boterham van zijn bord. Bij de eerste hap trok hij een vies gezicht. „Dat brood is veel te hard en te donker."

„Het rooster staat op stand vijf, precies zoals je altijd wilt."

„Dan zal je wel niet goed gekeken hebben." Met een gebaar vol walging gooide hij het brood terug en schoof het bord opzij. „Dit hoef ik niet. Is het nou echt zoveel moeite om een normale lunch klaar te maken? Ik wilde dat ik het zelf kon doen."

„Je kunt je redelijk door het huis bewegen en je hebt nog één prima functionerende arm, dus volgens mij ben je heel goed zelf in staat om een boterham in het rooster te doen en de knop naar beneden te zetten," zei Colette terwijl ze opstond en het dienblad pakte. „Wil je iets anders?" „Nee, laat maar. Ik heb alweer gegeten en gedronken," antwoordde Leo stuurs.

„Weet je het zeker? Ik moet over een uur de deur uit om te werken, dus als je iets wilt, moet je het nu zeggen."

„Ik zei nee. Ga jij maar lekker naar je werk, dat vind je toch belangrijker. Ik zou het niet wagen om je op te houden." Hij keek stug de andere kant uit terwijl hij dat zei.

„Ik zal een schommelstoel voor je kopen," mompelde Colette voor ze de kamer uit liep.

„Wat zei je?" Nu keek hij haar wel aan, met een frons tussen zijn wenkbrauwen. „Waar slaat dat op?"

„Dan kun je voor het raam heen en weer schommelen en schelden op de jeugd van tegenwoordig die op straat speelt, zoals alle oude heertjes doen. Lekker dreigen dat je hun bal lek steekt als die in je voortuin belandt, zo'n type ben je aan het worden."

Met die woorden liep ze weg. In de keuken haalde ze een paar keer diep adem. Ze was zo gespannen als een veer, dat voelde ze zelf. Het was maar goed dat ze die middag moest werken, want ze wist niet of ze zich nog langer in kon houden. Een paar uur afleiding zou haar weer nieuwe energie geven om er tegen te kunnen. Boven kleedde ze zich om in een makkelijk zittend, mooi broekpak. Voor de spiegel in de badkamer constateerde ze dat ze er moe uit zag. Met iets meer make-up dan ze gewoonlijk droeg, probeerde ze die sporen zo goed mogelijk uit te wissen. Dat was goed gelukt, merkte ze even later tevreden. Dat was het voordeel als je visagiste was, dan wist je precies hoe je wallen en een bleke huid moet camoufleren en hoe je er ondanks alles toch stralend uit kan zien. Opgewekt bij het vooruitzicht een paar uur uit de beklemmende sfeer te kunnen ontsnappen, zei ze Leo gedag.

„Je ziet eruit als een hoer," zei hij hard tot haar ontsteltenis. Die opmerking kwam harder aan dan een klap in haar gezicht had kunnen bewerkstelligen. Ze deinsde verschrikt achteruit.

„Is het werkelijk nodig om zoveel verf op je gezicht te smeren?"

„Ik ben visagiste, ik maak mensen op. Zelf ben ik mijn eigen visitekaartje," stamelde Colette overdonderd. Het kwam niet eens in haar op om kwaad te worden, zo geschrokken was ze.

„Alsof je dit voor je werk doet," hoonde Leo. Met zijn linkerhand priemde hij in haar richting. „Je zal wel naar een andere man toegaan. Zogenaamd werken, ja, ja. Voor geen enkele baan hoef je jezelf zo op te tutten."

„Leo, doe niet zo onredelijk en achterdochtig. Heb ik jou ooit redenen gegeven om te denken dat ik een ander heb?" vroeg ze zo kalm mogelijk, maar inwendig bibberend van de zenuwen.

„Ik kan niet controleren wat je doet als je niet thuis bent," zei hij op bittere toon. „Wie zegt me dat je niet met een ander in bed ligt als ik denk dat je in een studio bezig bent? Ik heb al langer mijn vermoedens, Colet. Jouw uiterlijk bevestigt die alleen maar. Geen ene vrouw maakt zich zo uitgebreid op als er geen man in het spel is."

„Je bent gek!" hijgde ze. Deze beschuldiging kwam zo onverwachts uit de hoek vallen dat ze niet wist wat haar overkwam. „Ik draag extra make-up omdat ik er zo vermoeid uitzie."

„Waar moet jij nou moe van worden? Smoesjes, allemaal smoesjes. Wees blij dat je in staat bent om gewoon alles te kunnen doen in plaats van erover te klagen dat je het zo druk hebt. Ik wilde dat ik het druk had. Ik zou zo met je willen ruilen."

„Dat zou je nog geen halve dag volhouden," zei Colette wrang. Ze draaide zich om, want ze wilde niet dat hij de tranen in haar ogen zou zien.

„Geniet maar van je werk," riep Leo haar hatelijk achterna. Het woordje 'werk' sprak hij met een insinuerende ondertoon uit.

Hoewel het tijd was om weg te gaan kon Colette, eenmaal in haar auto, niet onmiddellijk wegrijden. Ze was blij dat ze om de hoek van de straat geparkeerd stond, zodat Leo haar vanaf zijn plekje voor het raam niet kon zien. Met haar handen voor het gezicht geslagen zat ze achter het stuur, proberend zichzelf in bedwang te houden. Het liefst zou ze nu heel hard willen gillen, puur uit frustratie. Hij kan er niets aan doen, hield ze zichzelf voor. Hij is ziek, hij is zichzelf niet. De oude Leo zou zoiets nooit gezegd hebben. Hij meent het niet, het is zijn onmacht die hem zo doet reageren. Dit keer hielp het echter niet dat ze deze zinnen in gedachten bleef herhalen. Ze had zich nog nooit eerder zo beroerd en zo eenzaam gevoeld. Hoe lang kon ze dit nog volhouden? Bij de gedachte dat er nooit meer iets zou veranderen en hun leven er nog jaren zo uit zou blijven zien, kon ze nog maar met moeite normaal ademhalen.

Nog steeds trillend reed ze uiteindelijk toch weg, want ze kon het zich niet veroorloven om te laat te komen. Als ze haar werk niet meer zou hebben, werd ze helemaal stapelgek. Gelukkig werd ze onderweg iets rustiger en op het moment dat Colette haar auto parkeerde voor de studio waar ze die middag verwacht werd, was er uiterlijk niets meer aan haar te merken. Tot haar grote verrassing bleek de fotograaf van die dag Nick Zwelenburg te zijn. Sinds de feestavond had ze hem niet meer gezien. Bij de aanblik van hem kwamen alle herinneringen aan die fatale avond weer bij haar boven. Het geflirt, de kus tijdens het dansen, het verliefde gevoel in haar maag en daarna de ontluistering bij haar thuiskomst, waar ze Leo op de grond had gevonden. De hersenbloeding van Leo had haar de afgelopen tijd zo in beslag genomen dat ze niet meer aan Nick gedacht had, maar nu ze hem weer zag, sprong haar hart even blij op. Zonder dat hij haar in de gaten had, observeerde ze hem. Hij zag er fantastisch uit. Zijn haren, nog steeds enigszins gebleekt door zijn lange verblijf in de zon, hingen nonchalant langs zijn gezicht. De broek die hij droeg, had betere tijden gekend, maar sloot perfect aan op zijn gespierde lichaam. Hij stond te praten met één van hun modellen voor die dag en daarbij gebaarde hij levendig. Aan alles was te merken dat deze man goed in zijn vel zat en barstte van het zelfvertrouwen en levenslust. Wat een enorm verschil met de man die ze net thuis achter had gelaten!

Woest schudde Colette haar hoofd. Dat soort dingen wilde ze niet denken, dat was niet eerlijk tegenover Leo. Natuurlijk zag Nick er stukken beter uit. Hij was minstens twintig jaar jonger én gezond.

Ze zette zich schrap toen hij zich omdraaide, haar in het oog kreeg en met uitgestrekte armen op haar toe liep.

„Colette, wat heerlijk om je weer te zien. Ik had al begrepen dat jij vandaag de make-up verzorgt, dus je begrijpt dat ik nu extra zin had om te werken." Hij knipoogde bij die woorden. Vervolgens pakte hij haar bij haar schouders vast en drukte hij een kus op haar wang.

Colette bloosde tot achter haar oren. Dit simpele gebaar deed haar hele lichaam trillen. Een bijna onbedwingbaar verlangen om zich tegen hem aan te drukken overviel haar. Slechts met moeite wist ze zich te beheersen. De aantrekkingskracht die op het feest tussen hen had bestaan, was onmiddellijk weer aanwezig. De verleiding om daar gewoon aan toe te geven, was groot. Ze kon wel een beetje liefde en affectie gebruiken momenteel.

Gelukkig voor haar werden ze gestoord door de styliste, die Nick meetroonde naar de kleedruimte. Colette moest een paar keer diep ademhalen om haar verwarde gevoelens onder controle te krijgen en schijnbaar onbewogen aan haar werk te beginnen. Ze probeerde Nick te negeren, maar haar ogen werden als een magneet steeds naar hem toe getrokken.

Tijdens de pauze kwam hij naast haar staan. Er zat slechts een paar centimeter ruimte tussen hen in en Colette voelde zijn lichaamswarmte bijna door hun kleding heen. Op het moment dat zijn hand even de hare aanraakte, gingen alle haartjes op haar armen overeind staan.

„Het is lang geleden dat wij elkaar gezien hebben," zei Nick. Zijn ogen waren met een warme blik op haar gericht.

„Ik heb het druk gehad," mompelde Colette. Ze staarde angstvallig naar de tafel. Ze wist dat ze verloren zou zijn als ze in zijn ogen zou kijken. Eigenlijk kende ze deze man amper, maar de aantrekkingskracht was zo groot dat ze het gevoel had of hij al jaren deel uitmaakte van haar leven. Maar dat wilde ze niet. Dat mocht niet. Ze was getrouwd en ook al had haar relatie met Leo de laatste maanden niets meer met een normaal huwelijk te maken, ze kon hem niet zonder meer bedriegen. Hij was en bleef haar echtgenoot, dat kon ze niet zomaar uitvlakken. „Waarmee dan? Niet met werken in ieder geval, anders waren we elkaar wel eerder weer tegengekomen." Nick lachte.

„Gewoon, privé beslommeringen," antwoordde ze afwerend. Ze realiseerde zich ineens dat Nick niet wist dat ze getrouwd was en ze had zeker geen zin om hem nu te vertellen wat haar de laatste tijd zo bezig had gehouden. „Hoe gaat het met je boek?" vroeg ze in een poging het gesprek op neutraal terrein te brengen.

„Prima," ging hij daar onmiddellijk op in, hoewel er even een trek van teleurstelling op zijn gezicht verscheen. „Het verschijnt over een paar maanden, net voor de feestdagen. Dus als je niet weet wat je voor kerstcadeautjes moet kopen, is dit misschien een goed idee."

„Dat is sluikreclame," lachte Colette.

„Je hebt me door. Weet je, ik ben nooit zo bezig met de financiële kant en verkoopcijfers en dergelijke, maar mijn grootste angst is wel dat dit boek, waar ik met zoveel bezieling aan gewerkt heb, in de winkels blijft liggen omdat niemand er in geïnteresseerd is," vertrouwde hij haar ernstig toe.

„Zelfs in dat geval was het maken van dit boek een fantastische ervaring voor je," zei Colette. „Iets wat niemand je meer af kan nemen. Je hebt een schitterende reis gemaakt en je passie gecombineerd met je werk, wie kan je dat nazeggen? Veel mensen zullen jaloers op je zijn, of je boek nu verkocht wordt of niet."

142

Hij keek haar aan met een mengeling van verbazing en bewondering. „Dat is waar. Het maakt niet uit wat andere mensen er van vinden, het gaat om het plezier wat ik heb gehad tijdens het maken daarvan. Goh, dat is weer een heel ander gezichtspunt. Volgens mij ben jij wel iemand die overal het positieve uit weet te halen. Het glas is bij jou half vol en niet half leeg, hè?"

Was dat maar waar, dacht Colette bij zichzelf. Kon ze maar wat positiefs zien in haar leven zoals dat momenteel verliep. In het begin was ze voortdurend bezig geweest met Leo moed in te praten, hem op te beuren en geprobeerd hem te motiveren om zijn oefeningen te doen, maar er zat geen spoortje vooruitgang in. Niet in zijn lichamelijke toestand en niet in zijn chagrijnige buien. De hoop dat dit ooit nog zou veranderen had Colette inmiddels al opgegeven. Ze reageerde dan ook niet op de woorden van Nick en glimlachte alleen maar.

Nadat alle foto's gemaakt waren en hun werk er voor die dag opzat, kwam hij opnieuw naar haar toe.

„Zullen we samen ergens gaan eten?" stelde hij voor.

Colettes hart sprong verwachtingsvol op. Het liefst was ze meteen enthousiast op zijn uitnodiging ingegaan, maar de gedachte aan Leo die thuis op haar zat te wachten, hield haar tegen. Als zij niets klaarmaakte, at hij niets, wist ze. Ze kon het niet over haar hart verkrijgen om hem in zijn eentje honger te laten lijden terwijl zij vrolijk met een andere man in een restaurant zat. Hij verwachtte haar rond zeven uur thuis.

„Ik kan niet," antwoordde ze dan ook spijtig.

„Jammer. Een andere keer dan?"

„Graag." Het klonk gretig, dat hoorde ze zelf.

Nick merkte dat ook en hij schoot in de lach. „Gelukkig,

dat klinkt alsof je het echt erg vindt dat je nu niet kan. Je verzint dus geen uitvluchten."

„Absoluut niet," verzekerde ze hem. „Ik moet nu echt weg. Spontane uitstapjes zijn momenteel heel moeilijk voor mij."

„In dat geval pakken we nu meteen onze agenda's en maken we een afspraak." Voortvarend voegde hij de daad bij het woord. „Vrijdagmiddag heb ik een fotoshoot, waar jij volgens mij ook voor ingeroosterd staat. Annemarie zei zoiets. Klopt dat?"

„Ja," bevestigde Colette met een blik in haar agenda. „Die reportage over jonge gezinnen met pasgeboren kinderen."

„Mooi, dan gaan we na die shoot samen uit eten, dat sluit mooi op elkaar aan," zei Nick opgewekt.

Colette stemde daarmee in. Onderweg naar huis bedacht ze dat ze tegen Leo kon zeggen dat haar werk voor die dag tot 's avonds laat zou duren en dat ze niet zeker wist hoe laat ze thuis kon zijn. Ze zou dan van tevoren een maaltijd voor hem klaarmaken die hij alleen maar in de magnetron hoefde te zetten. Hij kon tenslotte wel iets, al deed hij graag alsof hij honderd procent afhankelijk van haar was. Ze verheugde zich buitensporig op het etentje met Nick, al weigerde ze er over na te denken waarom dat zo was. Ze maakte zichzelf wijs dat ze alleen verlangde naar een gezellig uitje, ongeacht het gezelschap.

„Je bent laat," was het eerste dat Leo zei bij haar binnenkomst. Het was tien voor half acht, zag Colette op de klok.

„Dat valt wel mee. In mijn werk kun je nu eenmaal nooit precies zeggen hoe laat je klaar bent, bovendien zat het verkeer ook niet mee."

„Ik heb honger. Je schijnt er niet aan te denken dat ik de hele dag nog bijna niets heb gegeten."

Colette bedwong de neiging om vinnig te antwoorden dat hij dan die geroosterde boterhammen maar niet had moeten laten staan. Zonder weerwoord ging ze naar de keuken om een laat avondmaal te bereiden. Hoewel ze helemaal geen zin had om nu nog te koken, was ze blij dat ze zich even terug kon trekken. Tijdens het koken van de pasta en het maken van de saus vertoefden haar gedachten bij Nick. Ze kon niet wachten tot het vrijdag was.

HOOFDSTUK 13

De dagen kropen voorbij. Andere opdrachten had Colette die week niet, wat betekende dat er ook geen afleiding was. Leo eiste al haar aandacht op, tot ze er bijna gek van werd. Om het huis even uit te zijn, deed ze extra vaak boodschappen, waarbij ze dan veel langer wegbleef dan noodzakelijk was, wat weer nieuwe ruzies met Leo tot gevolg had. Gelukkig voor haar viel hij in de loop van de middag vaak in slaap, gezeten in zijn brede leunstoel. Muziek draaien of de tv aanzetten, durfde ze dan niet, uit angst dat hij wakker zou schrikken, maar in ieder geval had ze dan even rust. Meestal kroop ze achter haar computer om te mailen naar Mariska. In dergelijke mailtjes stortte ze haar hart altijd volledig uit. Ze wist dat ze zich voor Mariska niet groot hoefde te houden, haar vriendin begreep heel goed hoe moeilijk de situatie was. De liefde die ze altijd voor Leo gevoeld had, verdween langzaam maar zeker uit haar hart. Hij was niet langer haar echtgenoot, maar een zeer lastige en veeleisende patiënt, waar ze niets meer mee deelde. Steeds vaker dacht ze terug aan het gesprek dat ze op de laatste avond van hun huwelijksreis hadden gevoerd. Leo had er toen op aangedrongen dat ze bij hem weg moest gaan als er onverhoopt iets met hem zou gebeuren. Letterlijk had hij gezegd dat ze veel te jong was om in dat geval haar leven voor hem op te offeren. Colette had daar toen niets van willen weten, nu lag dat anders. Leo had gelijk gehad met zijn woorden van die avond, wist ze nu. Maar zoiets verstandelijk beredeneren en er ook naar handelen waren twee hele verschillende zaken. Hoe kon ze hem ooit in de steek laten? Ook al was hij nu slechts een chagrijnige, oude man waar ze niets meer mee had, zij was de enige persoon in zijn leven die voor hem kon zorgen. Zijn broer belde sporadisch op om naar zijn gezondheid te informeren, maar daar bleef het bij. De kennissen die ze hadden, waren één voor één weggebleven sinds de hersenbloeding van Leo en hij was niet ziek genoeg om opgenomen te worden in een verzorgingstehuis, al kon hij zich in zijn eentje onmogelijk redden. Hoewel, hij zou het waarschijnlijk wel kunnen, maar hij wilde het niet, corrigeerde Colette zichzelf in gedachten. Ook al was hij gedeeltelijk gehandicapt, met een beetje goede wil en wat doorzettingsvermogen kon hij nog heel wat bereiken, maar Leo had de moed opgegeven. Bovendien vond hij het niet nodig om zich weer bepaalde vaardigheden aan te leren, want Colette was er om hem daar mee te helpen. Dat bewuste gesprek tussen hen waar zij steeds vaker aan dacht, scheen volledig uit zijn hersens gewist te zijn. Hij was er in ieder geval nooit op teruggekomen en ging er zonder meer vanuit dat zij alles voor hem deed wat hij zelf niet meer kon. Maar zelfs die wetenschap kon haar er niet toe zetten om bij hem weg te gaan. Ze zou zichzelf nooit meer recht in de spiegel aan kunnen kijken als ze hem aan zijn lot overliet.

Ondertussen was ze diep dankbaar voor het feit dat ze destijds die cursussen was gaan doen, zodat ze in ieder geval iets had wat haar houvast bood en waardoor ze regelmatig even het huis kon ontvluchten. Haar fijne leventje was veranderd in een nachtmerrie. Zonder haar werk zou het helemaal niet uit te houden zijn geweest. Ook had ze daardoor Nick leren kennen, met wie ze vrijdagavond uit eten ging. Ze had zich nog nooit eerder zo op een uitstapje verheugd. Eindelijk even iets anders dan voor Leo zorgen of werken.

Het duurde voor haar gevoel dan ook buitensporig lang voor het eindelijk vrijdag werd. Ze stond die ochtend al met een opgewonden gevoel in haar maag op. Vandaag zou ze Nick weer zien! Dat was de eerste gedachte die haar besprong bij het openen van haar ogen. Energiek sprong ze uit bed. Ze hoefde pas om een uur of twaalf de deur uit, maar ze had geen rust meer om te blijven liggen. Bovendien viel er op een dag meer dan genoeg te doen voor haar.

Het leek wel of Leo haar stemming aanvoelde. Hij was die dag lastiger dan ooit en had overal venijnig commentaar op. Colette durfde het niet aan om zich extra op te doffen voor haar etentje, zeker niet na zijn onverhoedse aanval op haar uiterlijk een paar dagen geleden. Ze koos dan ook voor een simpele, grijze broek met een vuurrode blouse erop, die weliswaar erg eenvoudig was, maar die haar bijzonder goed stond. Haar make-up hield ze ook eenvoudig, haar donkere haren borstelde ze echter tot ze glanzend om haar gezicht heen vielen. Een uur voor ze weg moest was ze al kant en klaar en wenste ze dat ze de wijzers van de klok kon hypnotiseren, zodat de tijd sneller zou gaan. Eerder weggaan dan twaalf uur durfde ze niet, bang voor het commentaar dat ze dan ongetwijfeld zou krijgen. Leo was al niet te spreken over het feit dat ze had gezegd dat het erg laat kon worden vandaag.

„Wat is dat voor onzin?" foeterde hij. „Je weet toch wel hoe laat je klaar bent?"

„In dit geval niet," loog Colette. „Er worden een aantal shoots tegelijk gedaan, dus het is erg moeilijk te zeggen. In ieder geval wordt er voor eten gezorgd, dus vroeg wordt het sowieso niet. Voor jou staat er macaroni klaar. Ik heb het zelfs al op je bord geschept, dus je hoeft alleen maar je bord in de magnetron te zetten. Zelfs jij kan dat." Hij was zo onredelijk kwaad geworden na deze laatste opmerking dat Colette niet eens wroeging voelde over haar leugentjes. Met een opgeluchte zucht trok ze even later de deur achter zich dicht. Een kwartier eerder dan noodzakelijk was, arriveerde ze bij de studio. Nick stond buiten, zag ze. Haar hart sprong even hoopvol op. Zou hij op haar staan te wachten? Hij kwam direct naar haar toe. „De fotoshoot gaat niet door," was het eerste dat hij zei, nog voordat ze goed en wel uitgestapt was. „Er is iets fout gegaan met de planning. De gezinnen die we vandaag moesten fotograferen staan geboekt voor volgende week vrijdag en wij voor deze week. Foutje van de administratie."

„O. We hebben dus niets te doen vandaag," constateerde Colette teleurgesteld. Nu zou hun etentje ook wel niet doorgaan, tenslotte was het nu pas kwart voor één. Nu terug naar huis rijden om vanavond weer weg te gaan, zou ongetwijfeld grote problemen met Leo ten gevolge hebben. Maar misschien kon ze in die tussentijd een beetje winkelen in het centrum hier, overwoog ze razendsnel.

„Klopt, we hebben een hele vrije middag," zei Nick opgewekt. „Ik moet zeggen dat ik dat helemaal niet zo erg vond toen me dat verteld werd."

„Jij wist het dus al. Waarom heb je me niet gebeld?"

„Ben jij gek?" Hij lachte nu voluit. „Dit is de uitgelezen kans om een hele middag en avond met jou door te brengen, zonder dat we opgeslokt worden door werk of andere bezigheden. Die kans laat ik me echt niet ontnemen. Wat zullen we gaan doen?"

„Ik eh, ik weet niet," hakkelde Colette. Ze werd overvallen door een ongekend gevoel van blijdschap. Deze dag nam

149

ineens een hele onverwachte, maar zeker geen onprettige, wending. Haar maag leek te bruisen van opwinding. Dat Nick zo openlijk verklaarde dat hij graag bij haar wilde zijn, streelde haar zelfvertrouwen.

„Ik woon hier vlakbij," merkte hij nonchalant op. „We zouden eerst naar mijn huis kunnen gaan om iets te drinken, dan zien we daarna wel verder." Hij had haar hand gepakt en streelde met zijn duim de binnenkant van haar pols. Colette voelde zich helemaal week worden. Zonder na te denken, stemde ze met dat voorstel in.

De afstand van de studio naar zijn huis legden ze lopend af. Nicks hand rustte tegen haar rug aan, ze voelde de warmte ervan door haar jasje heen. Na ongeveer een kwartier stopte hij voor een groot, modern appartementencomplex en zwijgend volgde ze hem naar binnen. Er hing een ondefinieerbare spanning tussen hen. Colette wist wat er ging gebeuren en onderging het zonder er vraagtekens bij te zetten. Ze wilde niet nadenken, ze wilde alleen maar genieten van het moment.

Eenmaal binnen kreeg ze niet de kans om Nicks woonomgeving in zich op te nemen. Hij pakte haar jasje aan, gooide hem nonchalant op een stoel en sloeg, terwijl hij nog achter haar stond, zijn armen om haar heen. Ze voelde zijn lippen in haar nek terwijl zijn handen over haar heupen streelden.

„Wat doe je?" vroeg ze loom. Ze maakte echter geen aanstalten om zich los te rukken uit zijn omhelzing. In plaats daarvan leunde ze heerlijk tegen hem aan.

„Wat denk je?" klonk zijn stem zacht en plagend in haar oor. Zijn handen dwaalden nu omhoog. Langzaam begon hij de knoopjes van haar blouse los te maken. „Je bent toch niet alleen met me meegegaan omdat je nieuwsgierig bent naar mijn huis?" ging hij verder. „Zo ja, dan moet je het nu zeggen. Dan stop ik onmiddellijk met waar ik mee bezig ben." Hij hield zijn handen stil terwijl hij dat zei. „Nee, niet stoppen," reageerde Colette meteen. Ze schaamde zich er niet eens voor. Ze genoot van zijn aanraking op haar blote huid. Ze wist heel goed dat ze het punt hadden bereikt waarop er geen terugweg meer mogelijk was, maar ze wilde ook niet terug. Haar lichaam schreeuwde om liefde en Nick was meer dan bereid om dat te geven. Ze draaide zich naar hem om en voelde meteen zijn warme lippen op de hare. Haar lichaam leek een eigen leven te gaan leiden. Het bloed joeg met een razende vaart door haar heen en haar maag voelde aan alsof die elk moment kon exploderen. Hier had ze onbewust al naar verlangd sinds de avond van het feest, wist ze nu. Ze gaf zich totaal over aan zijn omhelzing, met het gevoel alsof ze verdronk in geluk.

De kater kwam een paar uur later, toen het goed tot haar doordrong wat ze gedaan had. Liggend in Nicks bed, met zijn armen stevig om haar heen en een lichaam wat volkomen bevredigd was, sloeg de realiteit hard bij Colette toe. Ze huiverde.
„Heb je het koud?" Zorgzaam sloeg Nick het dekbed over haar naakte lichaam heen.
„Nee." Colette weerde hem af en stond op. Onbeholpen bleef ze even naast het bed staan. Ze wilde douchen, maar wist niet waar de badkamer was. Omdat ze zich ineens letterlijk én figuurlijk bloot voelde, pakte ze snel de badjas van Nick die aan een haak naast de deur hing. Hij was veel te wijd en viel slobberig om haar heen, maar het was beter dan niets. Weer trok er een huivering door haar heen. Dit

leek wel een scène uit een tweederangs film. De ontrouwe echtgenote, zo had hij dan kunnen heten. Want hoe ze het ook wendde of keerde en wat voor excuses en verzachtende omstandigheden ze ook aan kon voeren, ze was nog steeds getrouwd. Nooit had ze kunnen vermoeden dat juist zij ooit in een dergelijke situatie terecht zou komen. Overspel was iets voor anderen, maar niet voor haar.

„Colette, doe niet zo ongezellig. Kom terug in bed." Nick klopte uitnodigend op de lege plek naast hem.

„Ik wil graag douchen," zei ze afwerend.

„Dat kan." Met een strak gezicht stond hij op. Ze wist dat ze hem gekwetst had, maar kon zich op dat moment niet echt druk maken om de gevoelens van Nick. Ze moest eerst die van haarzelf op een rijtje zien te krijgen.

Onder de warme stralen van de douche kwam ze een beetje bij en lukte het haar de situatie enigszins te relativeren. Oké, ze was getrouwd en vanuit dat standpunt bezien had dit met Nick nooit mogen gebeuren, maar aan de andere kant was datgene wat zij met Leo had allang geen huwelijk meer. Hun echte huwelijk was opgehouden op de dag dat hij getroffen was door die hersenbloeding. Sindsdien was hij patiënt en zij verpleegster, verder hield iedere relatie tussen hen op. Het klonk heel hard als ze dat zo uitsprak, maar helaas was het de bittere waarheid. Ze hield van de Leo zoals hij geweest was, niet van de Leo zoals hij nu was. Er was niets meer tussen hen, hoe moeilijk het ook was om dat toe te geven. Al maandenlang deed ze alles om hem zo goed mogelijk te verzorgen, daar had ze zelfs haar baan voor opgezegd. Haar eigen leven had al die tijd stilgestaan, ter wille van hem en ze had er niets voor terug gekregen. In dat licht gezien was het niet zo vreemd dat ze nu had toegegeven aan haar eigen verlangens.

Colette hief haar gezicht omhoog en liet de waterstralen langs haar gezicht glijden. Ondanks haar schuldgevoel ten opzichte van Leo voelde ze zich gelukkig. Ze had genoten van het samenzijn met Nick, al had het dan misschien niet mogen gebeuren. En hij wist nergens van, drong het ineens met een schok tot haar door. Nick was in de veronderstelling dat ze een vrije vrouw was die kon doen en laten wat ze wilde. Hoe anders was de werkelijkheid! Ze zat met handen en voeten aan Leo gebonden, hoe dan ook. Wat er ook verder nog stond te gebeuren tussen hen, ze moest nu eerlijk tegen hem zijn.

Ze droogde zich af en trok opnieuw de badjas van Nick aan, aangezien haar eigen kleren nog ergens in de huiskamer lagen. Zo betrad ze even later de slaapkamer. Nick zat op de rand van het bed, hij zag er verslagen uit. Haar hart ging naar hem uit en met een schok realiseerde ze zich dat ze verliefd was op deze man. Het was niet zomaar een flirt met gevolgen voor haar geweest, er kwamen wel degelijk diepere gevoelens bij kijken. Nick maakte iets in haar los, wat Leo nooit gelukt was. Van hem had ze langzaam leren houden. Hij was haar plechtanker geweest in een zeer moeilijke tijd, ze had zich aan hem vastgeklampt en door zijn zorgzaamheid was er na verloop van tijd liefde voor hem gegroeid. Echt verliefd was ze echter nooit op hem geweest, realiseerde ze zich. De storm van gevoelens die Nick bij haar opwekte, was vreemd voor haar.

Hij zat met zijn hoofd naar beneden gebogen en leek haar niet te zien of te horen.

„Nick?" vroeg ze aarzelend.

Met een ruk keek hij op. „Ik heb je kleren op een eetkamerstoel gehangen. Je kunt je aankleden en weggaan als je dat wilt," zei hij kortaf.

„Doe alsjeblieft niet zo." Ze ging naast hem zitten op het bed en frunnikte aan het koord van zijn badjas.

„Wat wil je dan dat ik doe?" Vragend keek hij haar aan. „We hebben een fantastische middag beleefd samen en van het ene op het andere moment stel jij je op alsof ik een wildvreemde voor je ben. Even voor de goede orde: ik heb je niet aangerand of zo. Je wilde maar al te graag."

„Dat weet ik en ik heb ervan genoten," zei Colette eerlijk. „Het is alleen..."

„Alleen wat?" drong Nick aan. „Zeg nu eindelijk eens wat er is, Colet. Op dat feestje deed je vriendin al zo vijandig tegen mij, je kunt geen spontane afspraken maken, daarnet gedroeg je je ineens heel afwerend. Waarom? Wat is er voor geheimzinnigs met je aan de hand?"

„Ik ben getrouwd," flapte ze er plompverloren uit.

Nick sprong overeind. Vanaf de andere kant van de slaapkamer keek hij haar vijandig aan.

„Getrouwd dus. Dat verklaart een heleboel, behalve waarom je dan met mij meeging vandaag. Als je mij gebruikt omdat je bij je eigen man niet aan je trekken komt, bedank ik voor de eer."

„Het is niet wat je denkt."

„Is dat niet wat er altijd gezegd wordt in dergelijke situaties?" beet hij haar toe. „Leg dat maar aan je echtgenoot uit."

„Wil je alsjeblieft even naar me luisteren?" vroeg Colette zacht.

Nick wilde dat botweg weigeren, maar iets in haar houding trof hem. Er speelde meer dan een uit de hand gelopen flirt van een getrouwde vrouw, begreep hij instinctief.

Hij sloeg zijn armen over elkaar en leunde tegen de muur. „Ga je gang," zei hij slechts.

„Leo en ik zijn nu tweeënhalf jaar getrouwd," begon Colette te vertellen. Ze durfde hem nog steeds niet aan te kijken, maar staarde naar een plek op de muur naast hem. „Hij is vijfentwintig jaar ouder dan ik."

„En in de praktijk viel dat tegen, zo'n oude man?" vroeg Nick sarcastisch. Hij kon het niet nalaten om dat te zeggen. Haar bekentenis was dan ook als een ijskoude douche over hem heen gekomen en het kostte hem moeite om dat te verwerken.

„Nee, helemaal niet," zei Colette eerlijk. „We hadden het goed samen, ondanks ons verschil in leeftijd. Ik heb Leo nooit als een oudere man gezien, hij was gewoon mijn man. Totdat... Op de avond van dat feest... Ik kwam thuis en vond hem op de grond," haperde ze. „Hij had een hersenbloeding gehad. Sindsdien... Nou ja, sindsdien hebben we geen huwelijk meer."

„Jullie gaan niet meer met elkaar naar bed," meende Nick te begrijpen.

Colette liet even een schamper lachje horen. „Was dat het maar alleen. Daar zou ik mee kunnen leven. Het is veel erger, Nick. Leo heeft een totale karakterverandering ondergaan sinds hij ziek is. Hij ziet nergens meer iets positiefs in, hij doet zijn oefeningen niet omdat hij denkt dat ze geen nut hebben, hij is chagrijnig en wantrouwend en mij beschouwt hij alleen nog maar als zijn persoonlijke hulpje. Er is helemaal niets meer over van wat we hadden toen we trouwden. Hij wil ook niet dat ik nog ga werken, maar op dat punt heb ik mijn been stijf gehouden, al heb ik mijn vaste baan wel opgezegd om hem te verzorgen. Daar ben ik naar gedegradeerd, zijn verzorgster. Het is al, ik weet niet hoe lang geleden dat hij me een kus heeft gegeven of mijn hand heeft vastgehouden. We slapen in hetzelfde bed, maar er is minstens een meter ruimte tussen ons in." Nu ze eenmaal begonnen was kon Colette niet meer ophouden. Al haar frustraties en verdriet kwamen eruit in een lange stroom van woorden. Ze merkte zelf niet eens dat de tranen over haar wangen rolden. „Niets is er meer over, helemaal niets," snikte ze. „En ik kan niet eens bij hem weggaan, want dat zou zijn doodvonnis betekenen. Er is niemand anders die voor hem kan zorgen, ik kan hem niet in de steek laten."

In weerwil van zichzelf liep Nick naar haar toe en pakte haar vast. Hij was diep geschokt door dit dramatische verhaal. Dat was wel het laatste wat hij verwacht had na haar bekentenis dat ze niet vrij was. Zacht wiegde hij haar heen en weer tot het snikken bedaarde.

„Rustig maar, we komen er wel uit," mompelde hij. „Er moet een oplossing voor zijn."

Verwarde gedachten tolden ondertussen door zijn hoofd. Dit zei hij nou wel, maar hij had zelf geen flauw idee wat ze moesten doen. Deze situatie was té gecompliceerd om zomaar even te veranderen, dat was wel duidelijk. Eén ding wist hij in ieder geval wel zeker: hij hield van Colette en zou haar niet zonder meer los laten.

HOOFDSTUK 14

Ze gingen later toch nog uit eten. Nick had een klein restaurant uitgezocht waar ze rustig konden praten zonder dat ze bang hoefden te zijn dat de mensen aan de aangrenzende tafeltjes met hun gesprekken mee konden luisteren.

„Ik voel me heel dubbel," zei Colette op een gegeven moment. Ze speelde wat met haar glas wijn, in afwachting van het voorgerecht. „Aan de ene kant ben ik dolgelukkig, aan de andere kant voel ik me schuldig en beroerd. Dit is zo'n rare, uitzichtloze situatie. Ik zie ook totaal niet hoe er verandering in zou kunnen komen."

„Je wilt dus bij Leo blijven," concludeerde Nick daaruit.

„Ik kan niet anders," verdedigde Colette zichzelf. „Hoe zou ik hem ooit in de steek kunnen laten? Ik ben de enige die hij heeft. Bovendien zijn we getrouwd, hij heeft er min of meer recht op dat ik voor hem zorg."

„Verstandelijk bezien is dat natuurlijk onzin."

„Dat weet ik ook wel." Colette zuchtte diep. Ze stopte met praten omdat de ober het voorgerecht op tafel zette en ging pas verder toen hij na een 'smakelijk eten' wegliep. „Maar het ligt gewoon heel erg gecompliceerd. Leo is niet zomaar een vriendje van me of een vage kennis waar ik niet veel mee te maken heb. Hij is mijn man, ik heb ooit heel veel van hem gehouden."

„Hij kan toch onmogelijk van jou verlangen dat je je eigen leven totaal opgeeft voor hem," merkte Nick bedachtzaam op.

„Dat is wat iedereen me zegt. Leo heeft dat zelf trouwens ook gezegd, maar toen was hij nog gezond. Sinds die hersenbloeding is de situatie helemaal veranderd. Hij is trouwens nooit meer op dat gesprek teruggekomen. Nou kan ik daar zelf wel over beginnen, maar ik weet bij voorbaat dat het geen nut heeft. Hij zal botweg beweren dat hij dat nooit gezegd heeft, daarna zal hij op mijn medelijden en schuldgevoel gaan werken. Met succes, overigens, en dat weet hij. Maar wat kan ik, Nick? Zou jij bijvoorbeeld werkelijk willen dat ik een type ben die hulpeloze mensen zonder meer in de steek laat?"

„Dat is een gewetensvraag. Heb jij er achteraf geen spijt van dat je met zo'n veel oudere man bent getrouwd?" vroeg Nick ronduit.

„Spijt? Nee, dat niet, ondanks alles. Dit staat volkomen los van zijn leeftijd, al is de kans op een hersenbloeding uiteraard een stuk kleiner als je twintig jaar jonger bent. Leo en ik hebben het altijd goed gehad. Ik heb veel van hem gehouden en had de jaren samen toch niet willen missen. Een andere afloop was echter wel prettiger geweest," zei Colette eerlijk.

„Ik heb anders begrepen dat jullie ook al de nodige problemen hadden voor hij ziek werd."

„Alleen vanwege mijn werk. Hij vond dat de onregelmatigheid van de opdrachten en de tijden ten koste ging van onze relatie en daar was heel moeilijk over te praten met hem. Maar of dat leeftijd gebonden is? Het ligt natuurlijk ook aan de manier waarop iemand in het leven staat en aan zijn karakter."

„Jongere mannen kunnen daar over het algemeen toch beter mee omgaan, omdat die erin opgegroeid zijn," meende Nick. „Buiten dat heeft Leo de jaren van carrière maken natuurlijk al heel lang achter zich liggen. Jullie zaten in twee verschillende levensfases en dat kan behoorlijk botsen. Het vraagt heel veel aanpassingsvermogen, van beide kanten, om daar mee om te kunnen gaan."

„Ik weet zeker dat het uiteindelijk geen probleem meer gevormd zou hebben," beweerde Colette stellig. „Voor de rest ging het namelijk uitstekend tussen ons. Ieder stel loopt tegen struikelblokken op, op welke manier dan ook. Juist de herinneringen aan onze goede jaren maakt het zo moeilijk nu. Ik kan daar niet luchtig mee omgaan en nu roepen dat het over is omdat hij ziek is."

„Ik begrijp je wel, Colette, maar toch… Wat is het alternatief? Een stiekeme relatie tussen ons, wachtend tot Leo er ooit niet meer is? Dat klinkt me ook niet al te aantrekkelijk in mijn oren. Nog afgezien van het feit dat ik niemand dood zou wensen, ben ik ook niet iemand die genoegen neemt met een tweede plaats. Ik wil niet de stiekeme man op de achtergrond zijn. Ik wil alles."

„Of niets," begreep Colette. Ze schoof haar bord weg. De brok in haar keel en de knoop in haar maag beletten haar plotseling om verder te eten. „Dan vrees ik dat het niets moet worden. Ik kan niet zomaar Leo dumpen en voor jou kiezen, hoe groot die verleiding overigens ook is."

„Loop nou niet zo hard van stapel." Nick pakte haar handen en kneep er bemoedigend in. „Ik zei niet 'alles of niets', ik zei 'alles.' Hoe we dat uiteindelijk gaan realiseren, zien we hopelijk in de loop van de tijd wel in."

„Maar het moet geen jaren duren, bedoel je. Het spijt me, maar al wordt Leo honderd jaar, dan blijf ik tot zijn honderdste voor hem zorgen."

„Ben jij overal zo radicaal in?" informeerde Nick met een klein lachje. „Geloof me, ik zal nooit van je vragen om Leo in de steek te laten, maar zijn verzorging kan ook door anderen gedaan worden. Gespecialiseerde thuiszorg, een verpleegtehuis, een revalidatiecentrum tot hij weer in staat is een aantal dingen zelf te doen, er zijn mogelijkheden te over."

„Dat wil hij niet," zei Colette somber.

„Dit klinkt waarschijnlijk heel hard, maar hij heeft niet zoveel te willen. Kijk me niet zo kwaad aan, ik bedoel het niet zoals het klinkt, maar zo is het natuurlijk wel. Hij heeft verzorging en hulp nodig, dat hoeft echter niet uitsluitend door jou gedaan te worden. Jij bent alleen wel de aangewezen persoon om die zorg te regelen en erop toe te blijven zien dat het goed gebeurt. Als hij een beetje redelijk is, zal hij zelf ook wel inzien dat hij niet van jou kan verlangen dat je op deze basis bij hem blijft."

„Redelijkheid is nou net het probleem," zei Colette met een wrang lachje. „Je hebt geen idee hoe onrealistisch hij denkt en doet."

„Dat is dan zijn probleem en niet noodzakelijkerwijs het jouwe," zei Nick beslist.

„Zoals jij het stelt klinkt het allemaal zo makkelijk. Hup, stop hem in een verpleeghuis, dan ben je er vanaf en kun je verder met je eigen leven. Zo simpel ligt het voor mij niet."

„Dat kun je ook niet zomaar even beslissen, daar moet je naar toe groeien. Je moet het alleen niet zien als dumpen, maar als een mogelijkheid om hem de beste verzorging te geven. Over onrealistisch gesproken, het is absoluut niet reëel dat jij, op jouw leeftijd, de rest van je leven aan hem vastzit," meende Nick. „Dat hou je nooit vol."

„Ik begin langzamerhand aardig aan mijn eindje te raken, ja," bekende Colette moeizaam.

„Dat bedoel ik. Gevoel en verstand spreken allebei een andere taal, je moet die twee zaken echter wel in even-

wicht houden en niet alleen het ene of het andere gebruiken."

„Ik zal wel zien," schoof Colette dat nog even van zich af.
„Zullen we het nu ergens anders over hebben? Eerlijk
gezegd was ik juist dolblij om even aan de situatie thuis te
kunnen ontsnappen en nu zitten we er voortdurend over
te praten."

„Ik meen me te herinneren dat we ook iets anders gedaan
hebben vandaag," grijnsde Nick.

Ze bloosde tot achter haar oren. De herinnering aan de
afgelopen middag zou ze als een zoet geheim in haar hart
bewaren, wist ze. Hier mocht ze met niemand over praten,
want als er ook maar iemand vanaf wist, was er altijd een
kans dat Leo er achter zou komen en dat wilde ze tot elke
prijs vermijden. Dat zou waarschijnlijk zijn doodsteek zijn
en dat wilde ze niet op haar geweten hebben.

De rest van hun kostbare tijd samen hadden ze het over
hele andere dingen. Nick vertelde vol enthousiasme over
zijn boek en Colette luisterde aandachtig. Hij had er met
zoveel bezieling aan gewerkt dat ze van harte hoopte dat
het een succes zou worden. Na het dessert keek ze met
spijt op haar horloge. Het was inmiddels al negen uur
geweest, ze moest echt naar huis toe. De tijd samen met
Nick was werkelijk omgevlogen en het was nog maar de
vraag wanneer ze hem weer zou zien.

„Volgende week vrijdag hebben we in ieder geval samen
die shoot die vandaag niet doorging," zei hij toen ze met
de armen om elkaar heen geslagen, terug liepen naar de
studio waar Colettes auto nog geparkeerd stond. „Maar
dat is werk. Ik hoop je voor die tijd ook nog een keer te
zien zonder dat we aan de slag moeten en zonder dat er
een hele groep andere mensen bij is."

„Ik heb volgende week verder maar één klus, op dinsdag," wist Colette. „Ik kan tegen Leo zeggen dat ik woensdagavond ook moet werken en dan naar jou toekomen." Ze waren inmiddels bij het parkeerterrein gearriveerd en ze klemde zich aan hem vast. Een gevoel van wanhoop trok plotseling scherp door haar lijf heen. Ze wilde niet naar huis, waar een mopperige, onredelijke en hatelijke Leo op haar wachtte, ze wilde bij Nick blijven. De tegenstelling tussen deze twee mannen was schrijnend.

„Houd moed, liefste," fluisterde Nick, die haar stemming feilloos aanvoelde. Met een beschermend gebaar nam hij haar in zijn armen. Hij wist zelf niet eens wat hem zomaar onverwachts overkwam. De gevoelens die Colette in hem losmaakte, waren ongekend voor de vrijbuiter die hij altijd geweest was. Hij was dertig en bepaald geen onbeschreven blad waar het vrouwen betrof, maar een langdurige, vaste verbintenis had hij nooit gehad. Nooit gewild ook. Zodra een relatie serieus dreigde te worden, was hij er altijd vandoor gegaan, om vervolgens fluitend zijn leven te vervolgen. Maar Colette was anders. Bij hun eerste ontmoeting, toen ze bedremmeld voor hem had gestaan omdat ze te laat was gekomen op de werklocatie van die dag, had ze al een onvergetelijke indruk op hem gemaakt. Later, op het feest, was hij verliefd op haar geworden. Zelf had hij toen nog gedacht dat het met haar net zo zou gaan als met al die andere vrouwen die in de loop der jaren zijn pad hadden gekruist, vanmiddag was er echter iets veranderd in zijn gevoelens. Deze vrouw wilde hij nooit meer laten gaan. De situatie waarin ze zich bevond, deed daar niets aan af. Het zou niet makkelijk worden, maar zeer zeker de moeite waard, daar was hij van overtuigd.

„Stap maar in, anders staan we hier over een uur nog," zei hij na een lange zoen.

„Nou, als dat zou kunnen." Colette toonde hem een waterig lachje. „Dus ik zie je woensdag? Ik zal tegen Leo zeggen dat we avondfoto's maken op locatie of zo. Hè bah, dat gedraai," viel ze zichzelf in de rede. „Ik hou daar helemaal niet van. Ik zie echter geen andere oplossing. Leo de waarheid vertellen, kan absoluut niet en de enige andere optie om niet te hoeven liegen is jou opgeven en daar wil ik al helemaal niet aan denken."

„Dat hoeft ook niet. Op de één of andere manier komen we er wel uit," beloofde Nick haar. Voor hem lagen de zaken minder gecompliceerd dan voor haar. Er waren prima verpleeghuizen voor patiënten zoals Leo, redeneerde hij. Hij begreep echter ook dat Colette het daar moeilijk mee had. Je deed niet zomaar iemand weg waar je van gehouden had, dat gevoel leefde bij haar heel sterk. Nick kon zich daar ook wel iets bij voorstellen. Het was een beslissing waar ze naar toe moest groeien en Leo maakte haar dat zeker niet makkelijker.

Met tegenzin sloeg Colette de weg naar huis in. Weer stond ineens haar hele leven op zijn kop, nu om een hele andere reden. Ze wist niet goed hoe ze hier mee om moest gaan. Aan de ene kant wilde ze niets liever dan bij Nick zijn, maar tegelijkertijd voelde ze een hevig schuldgevoel ten opzichte van Leo. Haar gevoelens leken nog het meest op een achtbaan. Dan gingen ze die kant op, dan weer de andere kant.

De thuishulp had Leo al gewassen, omgekleed en in bed gelegd. Hij lag te slapen, zag Colette toen ze op haar tenen de slaapkamer betrad. Gelukkig, dat scheelde weer een hoop vragen van zijn kant en leugens van de hare. Als ze dat had geweten, had ze trouwens wel wat langer bij Nick kunnen blijven. Meteen voelde ze zich weer schuldig vanwege deze gedachte.

Uiterst voorzichtig, om hem niet te wekken, schoof ze naast Leo onder het dekbed. Hij mompelde iets in zijn slaap en bewoog, maar zijn ogen bleven gelukkig dicht. Colette bleef nog lang in het donker voor zich uit liggen staren, vervuld van de wending die haar leven zo ineens, voor de tweede keer in betrekkelijke korte tijd, had genomen. Maar nu in positieve zin. Ze wist nog niet hoe ze het moest realiseren, maar in de verte lokte toch weer wat geluk.

Nick had gelijk met wat hij gezegd had. Met haar verstand wist ze dat wel. Ze hadden allemaal gelijk gehad. Haar vader, Mariska, Emily, Lindy, noem maar op. Waarom had ze dat niet eerder ingezien? Ze hoefde niet de rest van haar leven Leo's verpleegster te zijn, het enige dat ze moest doen was ervoor zorgen dat hij niets tekort kwam, op welke manier dan ook. Waarschijnlijk zou het toch een verpleegtehuis of zo worden. Die gedachte gaf haar een naar gevoel, meteen wist ze echter ook dat dit de beste oplossing zou zijn. Voor Leo zelf misschien ook wel. Hier zat hij alleen maar in een stoel voor het raam voor zich uit te staren, daar werd hij wellicht meer gestimuleerd om dingen zelf te doen. Hoopte ze in ieder geval. Dat zou het in ieder geval makkelijker maken.

De decembermaand met alle extra drukte kwam eraan, daarna zou ze eerst eens naar de huisarts gaan en er met hem over praten, nam Colette zich voor. Tenslotte hoefde ze nu niet op stel en sprong allerlei beslissingen te gaan nemen, het was al heel wat dat ze er niet meer zo afwijzend tegenover stond. Dankzij Nick. Ze glimlachte voor zich heen. Het was nog maar de vraag of er ooit een serieuze relatie tussen hen op zou bloeien, maar nu voelde het in ieder geval ontzettend goed, ondanks alle problemen er omheen. Hij had haar het besef gegeven dat ze iets aan deze uitzichtloze situatie moest veranderen. Dat ging uiteraard niet van de ene op de andere dag, maar het begin was er.

De dagen erna betrapte Colette zichzelf erop dat ze af en toe liep te neuriën. Ook al was Leo extra slecht gehumeurd met de feestdagen in het vooruitzicht, het leven lachte haar toch weer een beetje toe. Vanwege haar schuldgevoel was ze extra lief voor Leo en reageerde ze niet op zijn uitlatingen, zodat de dagen redelijk harmonieus voorbij gingen. Op dinsdag moest ze werken, helaas zonder Nick dit keer. Zo snel mogelijk ging ze daarna weer naar huis, om alvast een beetje goed te maken dat ze die woensdagavond ook weer weg ging. Ze had Leo nonchalant verteld dat ze moest werken, waar hij amper op had gereageerd.

„Natuurlijk," had hij alleen maar schamper gezegd. Daarna had hij zich demonstratief omgedraaid.

Hoewel ze enorm naar Nick verlangde, kostte het Colette die woensdagavond toch moeite om de deur uit te gaan. Leo zat er zo eenzaam en verloren bij. Ze stond al in de deuropening, maar in een opwelling liep ze naar hem toe en gaf hem een kus op zijn wang.

„Ik maak het niet al te laat," beloofde ze.

„Ik merk het wel," zei hij stug. Ineens pakte hij haar hand vast. „Colette, zul je me nooit in de steek laten?" vroeg hij dringend. Zijn ogen stonden angstig en haar hart kneep even samen. Hoe kwam hij erbij om haar dat juist nu te vragen? Zou hij iets gemerkt hebben? Aangevoeld misschien? En wat moest ze hierop antwoorden? Ze kon hem

165

moeilijk plompverloren zeggen dat ze een ander had ontmoet waar ze verliefd op was geworden, evenmin kon ze hem nu beloven altijd bij hem te blijven. Die woorden kwamen simpelweg niet over haar lippen.

„Ik zal er altijd voor zorgen dat jij nooit iets tekort komt," zei ze uiteindelijk met de moed der wanhoop. Dat kon ze veilig antwoorden, want het was de simpele waarheid. Ze zou weliswaar niet bij hem blijven zoals hij dat bedoelde, maar ze zou hem nooit aan zijn lot over laten. Hij zou een plek in haar hart en in haar leven houden, dat was zeker. Leo scheen tevreden te zijn met haar antwoord. Hij liet haar hand los en staarde alweer met de voor hem zo kenmerkende moedeloosheid uit het raam.

„Tot vanavond," zei Colette nog, maar daar reageerde hij niet meer op.

Nick zorgde er even later voor dat de gedachte aan Leo naar de achtergrond verdween. In zijn armen kon ze zich volledig ontspannen, iets dat haar al heel lang niet meer gelukt was. In Nicks nabijheid leek het ook allemaal een stuk makkelijker dan het in werkelijkheid voor haar was. Hij maakte haar aan het lachen en zorgde ervoor dat ze zich weer jong en aantrekkelijk voelde. Als zijn ogen bewonderend over haar lichaam gleden, voelde ze haar zelfvertrouwen groeien en als hij haar beminde, voelde ze zich geliefd. Ondanks het feit dat ze het vreselijk vond om tegen Leo te moeten liegen, genoot Colette in de weken daarna van hun samenzijn. Zo vaak als ze kon verantwoorden, ging ze naar Nick toe en hun liefde groeide samen met haar besef dat er iets moest gebeuren. Ze konden niet eindeloos zo door blijven gaan, daar was ze zich heel goed van bewust. Het dubbelleven dat ze nu leidde zou haar ooit op gaan breken.

HOOFDSTUK 15

De kerstdagen braken aan. Dagen waar Colette enorm tegenop zag, omdat ze Nick in die periode minstens een week niet zou zien. Ze probeerde het gezellig te maken in huis, iets dat niet meeviel. Gelukkig voor haar kwamen op eerste kerstdag Emily en Simon langs, hoewel Leo al dagen van te voren liep te mopperen dat hij helemaal geen zin had in visite. Colette probeerde hier niet op te reageren. Uit ervaring wist ze dat het ene woord het andere uitlokte en ze uiteindelijk zouden eindigen in een ijzig stilzwijgen. Leo kon dan tien minuten later normaal gaan praten alsof er niets aan de hand was, maar zij had meer moeite met die omschakeling. Het feit dat er nooit meer een ruzie of meningsverschil behoorlijk werd uitgepraat, zat haar erg dwars. Nadat hij echter vier keer had geroepen dat hij geen zin had om visite te ontvangen, kon ze zich niet meer inhouden.

„Wees blij dat zij tenminste de moed nog op kunnen brengen, al je andere vrienden en kennissen heb je allang de deur uitgejaagd met je gedrag," viel ze uit.

„Alsof we daar iets aan missen. De mensen komen heus niet uit belangstelling, maar alleen uit sensatiezucht. Het lijkt wel of ze er plezier aan beleven om te zien hoe ik loop te stumperen," schampte hij.

„Emily en Simon hebben allang bewezen dat ze echte vrienden zijn bij wie we terecht kunnen. In tegenstelling tot Pieter en Emma," gaf Colette daarop terug.

„Pieter en Emma hebben het druk met hun hotel, het is begrijpelijk dat ze niet iedere week op de stoep staan. Ik heb daar trouwens ook geen behoefte aan en ik ben blij dat ze dat begrijpen."

„Misschien komt het ze ook wel erg goed uit," zei Colette vermoeid. Zij had niet zo'n hoge pet op van de goede bedoelingen van Pieter en Emma. Ze beweerden dan wel dat ze vrienden waren van Leo, maar ze waren nog niet één keer geweest sinds zijn ziekte. Af en toe stuurden ze een nietszeggend kaartje en een enkele keer belde Pieter op, maar verder dan een plichtmatig 'hoe gaat het nu met je' kwam hij niet. Hoe zij zich onder deze situatie voelde was iets waar al helemaal niet naar gevraagd werd.

Op eerste kerstdag was Leo chagrijniger dan ooit. Hij zat bokkig voor zich uit te staren in zijn stoel, weigerde aan tafel te komen voor het kerstontbijt en gaf slechts éénlettergrepige antwoorden als Colette iets zei. Ze vroeg zich af of het zijn bedoeling was om Emily en Simon zo snel mogelijk de deur weer uit te jagen met dit gedrag en vreesde dat dit hem nog zou lukken ook. Geen enkel normaal mens hield het lang in zijn gezelschap uit, dacht ze moedeloos. Zelf kon ze het ook niet lang meer bolwerken, dat voelde ze aan alles. Ze was de laatste weken voortdurend moe, ze had last van hoofdpijn en ze voelde zich alsof ze op haar tandvlees liep. De enige momenten waarop ze zich nog echt kon ontspannen was wanneer ze met Nick samen was. Zonder hem was ze allang gillend gek geworden, wist ze. Het feit dat ze zeker was van zijn liefde, plus haar schuldgevoelens die ze juist daarover had, maakten dat ze het volhield, al voelde ze af en toe de neiging om hard weg te lopen uit dit huis en nooit meer terug te komen.

Emily en Simon arriveerden om half twee, met een groot kerststuk en twee flessen wijn.

„Ik mag geen alcohol," zei Leo stroef. „Met alle medicijnen die ik slik is dat een fatale combinatie."

„Met zijn drieën krijgen we het ook wel op," zei Simon opgewekt.

Colette liet zich een groot glas inschenken, maar na twee slokken voelde ze al dat dit niet zo goed viel. Ze werd er misselijk van, bovendien had ze het gevoel dat de alcohol rechtstreeks naar haar benen zakte.

„Sorry, maar ik hou het ook maar bij frisdrank," zei ze verontschuldigend.

Ondanks Leo's verwoede pogingen de sfeer te verpesten, werd het een redelijk gezellige middag. Simon en Emily lieten zich niet uit het veld slaan door zijn gedrag en bleven de hele middag, tot het tijd voor hen werd om naar Emily's moeder te gaan, waar ze het kerstdiner zouden nuttigen. Colette liep met hen mee naar hun auto.

„Meid, dat jij dit volhoudt," zei Emily met een diepe zucht. „Ik heb nu, na een paar uurtjes, al de neiging om hem te wurgen. Dit is toch geen leven voor je?"

„Ik heb niet zoveel keus," zei Colette triest. „Al heb ik me wel voorgenomen om na de feestdagen eens met de huisarts te gaan praten. Misschien kan hij opgenomen worden in een verzorgingstehuis."

„Dat zou inderdaad het beste zijn, ja. Maar het is een moeilijke beslissing, hè?" Meelevend keek Emily haar aan en hartelijk omhelsde ze haar. „Je hoeft jezelf in ieder geval nooit verwijten te maken, je hebt alles voor hem gedaan wat je kon."

Ja, inclusief hem bedriegen, dacht Colette bij zichzelf. Ze zei daar echter niets over. Niemand, zelfs Mariska niet, wist van haar relatie met Nick af, dat was iets waar ze angstvallig haar mond over hield. Ze zou het zichzelf nooit vergeven als Leo dat via het roddelcircuit te horen zou krijgen, al wist ze ook wel dat de kans daarop bijzonder klein was. Maar toch, het kon altijd.

Vanaf de stoep zwaaide ze hen na, een eenzaam figuurtje in de vallende duisternis. Ze moest echt iets overwinnen om haar huis weer binnen te lopen. De verleiding was groot om simpelweg in haar auto te stappen en weg te rijden, het maakte niet eens uit waarheen. Maar dat kon niet. Ze moest eten koken, het zo gezellig mogelijk maken en voor Leo zorgen. Met tegenzin liep Colette weer naar binnen. Hoewel ze niet echt een keukenprinses was, zorgde ze die dag toch voor een uitgebreid kerstmaal. Wellicht was dit de laatste kerst die Leo thuis doorbracht, het minste dat ze voor hem kon doen was hem daar een goede herinnering aan meegeven. Dus maakte ze een schaal meloen met ham, bakte ze ossenhaas, deed ze haar best op een verse champignonsaus en bakte ze kleine aardappeltjes met een uitje en kleine stukjes paprika er doorheen. Als groente was er prei met kaas en tomaat uit de oven en voor het dessert had ze zelf chocolademousse met slagroom gemaakt. Vooral op dat laatste was ze erg trots, want het was een hele klus geweest om de mousse goed van structuur te krijgen, zeker voor een beginneling op dat gebied. De tafel werd uitgebreid gedekt met het kerststuk van Emily en Simon in het midden en veel kaarsjes. Tijdens al deze werkzaamheden zat Leo zwijgend in zijn stoel.

„Ik ben moe en heb geen honger," zei hij nors toen ze hem riep om aan tafel te komen. „Ik wil eigenlijk gewoon naar bed."

„Je wilt wat?" Perplex keek ze hem aan. „Leo, ik heb net een heel kerstdiner in elkaar gedraaid."

„Ik heb geen honger," herhaalde hij.

„Dit kun je niet menen!"

„Jij schijnt te vergeten dat ik nog steeds patiënt ben. De hele middag jouw vrienden op bezoek hebben, heeft me behoorlijk vermoeid." Met moeite kwam hij overeind en langzaam schuifelde hij richting gang. „Wil je me even helpen? Bel die thuiszorg voor vandaag maar af, dat wordt me te laat. Ik ben zo moe."

Colette kon niets anders doen dan hem helpen, iets dat ze met tranen in haar ogen en zonder commentaar deed. Ze was niet in staat om ook maar iets te zeggen. Op dat moment haatte ze haar man echt.

Een half uur later zat ze triest aan de feestelijk gedekte tafel. Gelukkig kerstfeest, dacht ze wrang. Daar had ze zich nou zo voor uitgesloofd. Nog niet eens een simpel 'dank je wel' had er vanaf gekund. Dit was zijn manier om haar te straffen omdat ze de visite van Emily en Simon toch had doorgezet, begreep ze. Leo was nog erger dan een klein kind dat zijn zin niet kreeg. Omdat zij niet toegegeven had aan zijn protesten, zette hij het haar op deze manier betaald. Misschien was hij zich daar zelf niet eens van bewust, maar hij deed het toch maar. Lang bleef ze zo zitten, zonder een hap door haar keel te kunnen krijgen. Uiteindelijk stond ze op, zette werktuiglijk het eten afgedekt in de ijskast en ruimde de tafel af. Ze draaide alle lichten uit, liet alleen de lampjes van de kerstboom branden. Met een deken ging ze op de bank liggen, want ze wilde nu niet naast Leo in bed kruipen. Als hij wakker werd en iets vervelends zei, stond ze niet voor zichzelf in. Haar liefde voor hem was het laatste jaar geruisloos verdwenen, maar nu had ze echt een hekel aan hem. Morgen, tweede kerstdag, zou ze zeker geen extra moeite voor hem doen, nam ze zich vastberaden voor. Als hij honger had, kon hij de restjes van vandaag krijgen, maar ze ging zeker niet opnieuw urenlang de keuken in. Het was jammer dat hun huisarts tijdens de feestdagen op vakantie was, anders had ze onmiddellijk een afspraak geregeld voor een gesprek. Ze moest echter wachten tot begin januari. Over anderhalve week zou hij pas terug zijn, een periode die haar ineens eindeloos lang toe scheen.

Leo kwam later niet terug op dit incident. Hij deed alsof er niets gebeurd was, zoals gewoonlijk, maar voor Colette was de maat vol. Nu was zij degene die weinig tot niets zei en zich terugtrok in zichzelf. Ze las een boek, rommelde wat in huis en deed een spelletje op haar computer, terwijl Leo de hele dag voor de tv hing. Ze was niet langer van plan om voortdurend rekening met hem te houden. Tegen zessen vulde ze twee borden met de maaltijd van de dag daarvoor, zette ze in de magnetron en gaf hem zijn bord op schoot.

„Wat is dit?" vroeg hij verbaasd. „Eten we niet gewoon aan tafel? Doe niet zo ongezellig, Colette. Het is nota bene kerstmis."

„Daar had je gisteren aan moeten denken," zei ze kort. Demonstratief ging ze met haar bord aan tafel zitten, een tijdschrift opengeslagen naast haar. Ze deed net alsof ze daar aandachtig in las, al kon ze later met geen mogelijkheid navertellen wat erin stond.

„Wat is dit nou voor kinderachtig gedoe?" zei Leo kwaad. „Ben je beledigd of zo? Heeft mevrouw niet genoeg waardering gekregen voor het vele werk?" Dat laatste klonk ronduit sarcastisch.

Colette gaf geen antwoord. Ze bleef stug in het tijdschrift kijken, ondertussen werktuiglijk etend van haar maaltijd, echter zonder te proeven wat ze precies at.

„O, is dit tegenwoordig de manier waarop we met elkaar

omgaan? Lekker gezellig," hoonde hij verder.

„Ja, net zo gezellig als gisteren," snauwde Colette. Ze kon het niet laten. Hij had haar zo enorm gekwetst met zijn houding.

„Ik was moe, Colette. Doodmoe. Ik heb de hele middag gezellig moeten doen met die vrienden van jou, dat heeft me werkelijk uitgeput."

„Gezellig?" Ze lachte luid, maar het was geen vrolijke lach. „Noem jij dat gezellig? Man, je hebt je uiterste best gedaan de sfeer volledig te verzieken en ze zo snel mogelijk de deur uit te werken. Je had er gewoon zwaar de pest in omdat dat je niet lukte en daarom moest ik het ontgelden. Ik had het best begrepen als je inderdaad te moe was om te eten, maar had dat dan gezegd voordat ik me uit stond te sloven in de keuken. Dat deed ik namelijk niet voor mezelf, Leo, maar voor jou. Ik wilde het voor jou gezellig maken en heb mijn best gedaan allemaal dingen klaar te maken die jij lekker vindt."

„Ach ja, jij hebt het zwaar, dat vergeet ik nog wel eens. Vergeef me alsjeblieft. Soms ben ik zo met mijn eigen beperkingen bezig dat ik er niet aan denk dat het leven voor gezonde mensen ook wel eens tegenvalt." Zijn toon was ronduit bijtend.

„Daar zou je inderdaad wel eens aan mogen denken, ja. Ik doe mijn best begrip op te brengen voor jou, maar andersom gebeurt er niets. Het is voor mij ook moeilijk, Leo. Er is niets meer over van ons huwelijk zoals het was," zei Colette vermoeid. Terwijl ze het zei, wist ze echter al dat het totaal geen nut had om te proberen een echt gesprek met hem te voeren. Alles wat ze zei ketste af op zijn zelfmedelijden, zijn moedeloosheid en zijn kwaadheid op het leven. Hij kon niet accepteren dat hij iets mankeerde, laat staan dat hij probeerde er het beste van te maken. Het hele universum draaide alleen nog maar om arme, zielige, gehandicapte Leo, voor iets anders had hij allang geen oog meer. Ook niet voor haar. „Wat nou, begrip?" beet Leo haar toe. „Nooit zul jij kunnen begrijpen hoe het voelt voor mij om afhankelijk te zijn. Nooit! Jij staat midden in het leven. Je werkt, je bent gezond, je hebt je sociale contacten, noem maar op. Je hebt geen enkele reden tot klagen."

Colette stond op. Hier kon ze niet langer tegen, ze moest weg. „Je zult wel gelijk hebben," zei ze alleen dof voor ze de deur uitliep. Even later stond ze buiten. Diep ademde ze de koude buitenlucht in. Automatisch zette ze haar ene voet voor de andere, zonder echt te beseffen waar ze liep. Dat maakte ook niet uit, als ze maar even bij Leo weg was. De enige manier om tegenwoordig een ruzie te voorkomen, was precies doen wat hij wilde, hoe onredelijk het vaak ook was. Ze kon het niet langer meer. Haar begrip en inlevingsvermogen waren tot het minimum gezakt. Wat hij gisteren gedaan had, was de spreekwoordelijke druppel. Het was zo kwetsend, zo pijnlijk geweest. Als hij zich er achteraf voor verontschuldigd had, had ze het hem misschien nog kunnen vergeven, maar zoals hij zich nu opstelde kon ze dat niet langer. Ze had zo ontzettend genoeg van zijn gemopper, zijn onredelijke eisen, zijn verwijten dat zij wel gezond was en zijn chagrijnige buien. Het liefst zou ze helemaal niet meer teruggaan, ze wist echter dat ze wel moest. Ze kon hem niet zonder meer alleen laten.

Colette wist later niet te vertellen hoe lang ze buiten gelopen had. Ze had geen enkel oog voor haar omgeving, ze liep alleen maar stug door tot de storm in haar hoofd een beetje geluwd was. Op de kerkklok aan de rand van hun woonwijk zag ze dat het al bijna middernacht was toen ze de sleutel in het slot omdraaide. Leo was door de thuiszorg al naar bed geholpen, maar hij sliep niet. Ze hoorde hem roepen toen ze naar binnen liep, maar ze reageerde daar niet op. Laat hem maar even in zijn sop gaar koken, dacht ze wraakzuchtig. Ook al was hij ziek, hij was niet achterlijk. Hij kon best even nadenken over wat er gebeurd en gezegd was.

Weer bracht ze de nacht op de bank in de huiskamer door, zelfs te moe om zich om te kleden.

De dagen daarna leek het iets beter te gaan. Misschien had Leo inderdaad beseft dat hij te ver was gegaan, want hij hield zich redelijk rustig. Van enige gezelligheid of saamhorigheid tussen hen was echter geen sprake.

Oudejaarsavond brachten ze samen door. Colette had Mariska en Jan uit willen nodigen, maar na het debacle van eerste kerstdag durfde ze dat niet meer aan. Ze kon het andere mensen eenvoudigweg niet aandoen om feestelijke gebeurtenissen samen met Leo te moeten vieren. Ze voelde zich echter eenzamer dan ooit. Vroeger was de decembermaand altijd één groot feest voor haar geweest, waar ze met volle teugen van genoot. De saaiheid van januari viel dan extra tegen, nu verlangde ze echter naar het nieuwe jaar. Dan kon ze tenminste eindelijk spijkers met koppen slaan, want ze kon niet langer ontkennen dat dit hard nodig was. Als deze toestand nog lang zou duren, was zij ook rijp voor opname in een tehuis.

Ondanks alles had ze toch nog een poging gedaan om iets van de laatste avond van het jaar te maken. Bij een kraampje had ze oliebollen en appelflappen gehaald, want de lust om zelf iets te bakken was haar wel ontnomen. Om tien uur hield Leo het echter voor gezien. De verpleeg-kundige van thuiszorg was om half acht al gekomen om hem te wassen en te verkleden. Normaal gesproken ging hij rond negen uur naar bed, dus Colette kon het hem niet eens kwalijk nemen dat om tien uur zijn ogen bijna dicht vielen van vermoeidheid. Eigenlijk was ze blij dat hij naar boven ging, want de sfeer tussen hen was ronduit gespan-nen.

In haar eentje zat ze de laatste uren van dit jaar uit. De televisie vertoonde terugblikken van de afgelopen twaalf maanden. Ze keek er met een half oog naar, maar kon zich niet echt op het programma concentreren. Ze had niet zoveel behoefte aan terugkijken, want zo prettig was dit jaar niet geweest. Enfin, dat betekende tenminste dat het nu alleen nog maar beter kon gaan, probeerde ze zichzelf moed in te spreken. Een mens moest nu eenmaal eerst door een dal om op de top te kunnen komen. Leo was haar dal, Nick was haar top. Het was een vreemde gedach-te. Nog niet zo lang geleden was ze er heilig van overtuigd geweest dat ze de rest van haar leven met Leo door zou brengen. Dingen konden snel veranderen, wist ze nu.

Om twaalf uur ging ze voor het raam staan om naar het vuurwerk te kijken waarmee het nieuwe jaar werd inge-luid. Een nieuw jaar, nieuwe kansen, nieuw geluk…

Op dat punt van haar gedachten begon haar mobiele tele-foon te piepen ten teken dat er een berichtje voor haar was. Nick, wist ze instinctief. Gretig pakte ze het appa-raatje uit haar handtas.

Het was inderdaad een berichtje van Nick. 'Alle geluk voor ons samen in het komende jaar, liefste,' las ze. Zoals zo vaak de laatste tijd sprongen de tranen in haar ogen. Ze hadden afgesproken dat hij haar nooit zou bellen of sms'en, omdat ze té bang was dat Leo iets zou merken, maar op dit moment was ze blij dat hij zich niet aan die afspraak gehouden had. Het betekende heel veel voor haar om juist nu iets van hem te horen, als symbool voor hun toekomst. Wat er ook nog stond te gebeuren, Nicks liefde sleepte haar er wel doorheen. Ondanks alles had ze nog heel veel om dankbaar voor te zijn. In tegenstelling tot Leo, flitste het even schuldbewust door haar hoofd heen. Hij had niets meer over. Zijn gezondheid was hem afgenomen, hij kon zijn werk niet meer doen en straks had hij haar ook niet meer. Het was warempel geen wonder dat hij chagrijnig was en weinig positiefs meer in het leven kon ontdekken. Daar mocht ze best wat meer rekening mee houden op momenten dat hij het haar extra moeilijk maakte. Ze nam zich voor om er het beste van te maken, zolang hun huwelijk nog duurde. Dat was ze in ieder geval wel aan hem verplicht.

HOOFDSTUK 16

„Je ziet er niet al te best uit." Dokter van Rees, die al jaren haar vaste huisarts was en die zelfs de ziekte en het overlijden van haar moeder van dichtbij had meegemaakt, keek Colette onderzoekend aan.

„Dat lijkt me niet zo vreemd onder de gegeven omstandigheden," zei ze.

„Het moet moeilijk voor je zijn. Ik ken je echtgenoot niet zo goed, maar ik kan me wel enigszins voorstellen hoe het er bij jullie thuis aan toe moet gaan."

„U weet de helft nog niet." Het klonk bitter. „Ik hou het niet meer vol, dokter. Er moet echt iets gebeuren."

„Vertel eens precies wat er aan de hand is." Uitnodigend leunde hij iets achterover in zijn stoel, Colette daarmee de indruk gevend dat hij alle tijd voor haar had, ook al zat zijn wachtkamer vol met patiënten. Die moesten maar een keer wat langer wachten, dacht Van Rees bij zichzelf. Hij kende Colette goed genoeg om te weten dat ze niet zomaar iets zei, maar dat ze echt aan het einde van haar Latijn was.

Hakkelend begon Colette aan haar verhaal. Ze verwoordde hun ruzies, Leo's verwijten, zijn zelfbeklag en het feit dat hij simpelweg weigerde iets aan zijn toestand te verbeteren. Gaandeweg praatte ze steeds sneller, niets liet ze weg.

„Hij is zo enorm veranderd," eindigde ze haar trieste relaas. „Het is Leo niet meer, maar een vreemde met wie ik toevallig in één huis woon."

„Dat komt vaker voor na een hersenbloeding," gaf Van Rees toe. „Karakterveranderingen zijn eerder regel dan uitzondering. Eerlijk gezegd had ik mijn bedenkingen al toen hij ronduit weigerde naar een revalidatiecentrum te gaan. Er valt nog heel wat aan zijn handicap te verbeteren, maar dan moet er natuurlijk wel aan gewerkt worden."

„Hij doet niets anders dan in zijn stoel zitten," zei Colette somber. „En mopperen natuurlijk. Ik moet het de hele dag ontgelden bij hem. Ik heb het echt met liefde geprobeerd, dokter, maar het is op. Ik red het niet meer."

„Je denkt aan een opname," begreep haar arts.

„Dat lijkt me het beste, ja. Mits het voor Leo niet te ingrijpend is." Nu ze haar hart gelucht had, begon ze toch weer te aarzelen. Het klonk zo definitief, zo hard. Alsof ze hem wilde dumpen omdat hij niet meer zo lief en zorgzaam was als vroeger. Op sommige momenten had Colette een hekel aan zichzelf, omdat het toch aanvoelde of ze Leo, nu hij niets meer waard was, in wilde ruilen voor een jonge, gezonde man.

„Je hoeft jezelf geen enkel verwijt te maken," zei Van Rees direct, alsof hij aanvoelde wat ze dacht. „Je hebt alles voor Leo gedaan wat je kon, daar heb ik diep respect voor. Ga jezelf dan ook geen schuldgevoelens aanpraten omdat het niet langer meer gaat, want je hebt groot gelijk. Ik had je indertijd direct al voor willen stellen om hem op te laten nemen in een verpleegtehuis, maar ik wist dat je daar niets van wilde weten."

„Nee, dat had ik toen inderdaad niet goed gevonden, maar toen wist ik nog niet wat ik nu wel weet. U bent het dus met me eens? Wanneer denkt u dat het gerealiseerd kan worden?" vroeg ze er in één adem achteraan toen hij knikte als antwoord op haar vraag.

„Helaas kan dat wel even duren. De wachtlijsten zijn lang en Leo is geen direct noodgeval. Ik begrijp dat de toestand inmiddels nijpend is, maar mensen die er lichamelijk

179

gezien erger aan toe zijn en mensen die alleen op de wereld staan, gaan nu eenmaal voor. Ik ga in ieder geval mijn best doen voor je, maar je moet toch wel rekening houden met enkele maanden voor hij ergens geplaatst kan worden."

„Begrijpelijk," knikte Colette. Het viel haar eigenlijk nog mee. Het zouden moeilijke, zware maanden worden, maar met de wetenschap dat het daarna allemaal anders zou worden, kon ze het aan. Ze kon die tijd trouwens zelf ook gebruiken om afscheid te nemen van haar huwelijk en van het leven dat ze samen hadden geleid. Dat was een proces wat tijd kostte, ondanks alles. Ze zou in ieder geval alles doen wat in haar vermogen lag om het zo goed mogelijk af te sluiten, zowel voor Leo als voor haarzelf. Dat had ze nodig om daarna met een schone lei opnieuw te beginnen met Nick, wist ze. Het was allemaal zo verwarrend. In haar hart had Nick allang de plek van Leo ingenomen, maar in het dagelijks leven was het nog lang niet zover. Dat kon ook niet van de ene op de andere dag.

Dokter van Rees wenste haar bij het afscheid veel sterkte en beloofde nogmaals alles wat in zijn macht lag te doen om de opname zo snel mogelijk rond te maken.

„En denk erom, geen verwijten richting jezelf," zei hij. Hij zwaaide met zijn wijsvinger voor haar gezicht heen en weer. „Je hebt gedaan wat je kon, zelfs meer dan dat. Toegeven dat het niet meer lukt en er iets aan doen, is ook een heel moeilijke beslissing. Wil je trouwens dat ik eens met Leo praat om hem voor te bereiden op wat er gaat komen?"

„O ja, graag," nam Colette dat aanbod met beide handen aan. In gedachten had ze al talloze malen met Leo gepraat, ze wist echter bij voorbaat al dat een dergelijk gesprek waarschijnlijk heel anders zou verlopen dat ze verwachtte. In ieder geval anders dan ze hoopte. Ze zou de goede woorden om hem te vertellen wat ze voelde, vast niet kunnen vinden. Trouwens, Leo zou daar ook niet ontvankelijk voor zijn, dat was al vaker gebleken.

Opgelucht liep ze de praktijk uit. Het gesprek was haar meegevallen. Diep in haar hart was ze toch een beetje bang geweest dat de dokter haar een overdreven, hysterisch wicht zou vinden en dat hij haar problemen weg zou wuiven, maar gelukkig had hij haar serieus genomen. Nu was het afwachten hoe Leo op deze plannen zou reageren, maar voorlopig leek het haar het beste om dat nog niet ter sprake te brengen. Het had weinig nut om hem nu al overstuur te maken, oordeelde ze. Tegen de tijd dat een opname concreet werd, kon dokter van Rees met hem praten. Colette was blij dat haar huisarts dat deel voor zijn rekening wilde nemen. Wellicht was Leo meer ontvankelijk voor wat een arts zei, dan voor datgene wat zij naar voren kon brengen.

Met de wetenschap dat het nog maar om een afzienbare periode ging, lukte het Colette om haar eigen gevoelens zoveel mogelijk opzij te zetten en er helemaal voor Leo te zijn, op de uren dat ze werkte of bij Nick was na. Ze bleef geduldig bij zijn onredelijke uitvallen en liet zich niet meer verleiden om commentaar te geven op zijn uitspraken vol zelfbeklag. Woordenwisselingen kwamen dan ook bijna niet meer voor tussen hen, al leek het af en toe wel of Leo alles uit de kast haalde om een nieuwe ruzie uit te lokken. Ze moest dan ook regelmatig op haar lip bijten om niet dwars tegen hem in te gaan. Ondertussen trok dit wel een wissel op haar gezondheid. Haar lichamelijke klachten namen toe en ze voelde zich vaak echt beroerd.

„De spanningen thuis hopen zich op in mijn lijf," zei ze op een dag somber tegen Nick. Ze hadden die ochtend samen aan een shoot gewerkt en waren daarna naar zijn flat gegaan. Colette had Leo verteld dat ze de hele dag moest werken en pas rond het avondeten thuis zou zijn. Ze voelde zich steeds minder schuldig om dit soort smoesjes, want zonder Nick op de achtergrond had ze thuis allang het bijltje erbij neer gegooid, wist ze. Het was dan ook in Leo's belang dat ze af en toe een paar uur naar hem kon ontsnappen, al klonk dat voor een buitenstaander waarschijnlijk als een slappe smoes.

„Wat jij nodig hebt is een ontspannende massage," meende Nick. Hij voegde meteen de daad bij het woord en begon met zachte bewegingen haar schouders te masseren.

„Heerlijk," zuchtte Colette. Ze sloot haar ogen en leunde iets achterover. „Helpt dit ook tegen hoofdpijn, misselijkheid en moeheid?"

Nick staakte zijn bezigheden. Zijn handen lagen nu stil op haar schouders. Voorzichtig draaide hij haar om, zodat hij haar aan kon kijken.

„Zijn dat de symptomen waar je last van hebt?" vroeg hij ernstig. Colette knikte bevestigend.

„Ik heb er niet zoveel verstand van, maar zou het niet iets heel anders kunnen zijn dan spanningsklachten? Ik bedoel… Slik jij eigenlijk de pil?"

„Nee." Colette trok wit weg bij deze vraag, ze begreep onmiddellijk wat hij daarmee bedoelde. „Je denkt echt dat…?"

„Die kans is natuurlijk altijd aanwezig. We hebben nooit condooms gebruikt, wat op zich natuurlijk al stom genoeg is. Ik ben er eigenlijk zonder meer vanuit gegaan dat jij aan de pil was," verklaarde Nick.

„Weet je dat ik daar nooit bij stilgestaan hebt?" zei Colette langzaam. „Leo is onvruchtbaar, we hebben nooit voorbehoedsmiddelen nodig gehad. O, wat ontzettend stom! Ik ben verdorie zevenentwintig, maar ik gedraag me als de eerste de beste onwetende puber! Dit is echt te belachelijk voor woorden."

Ze keken elkaar peilend aan. Colette beet op haar onderlip. De gedachten raasden door haar hoofd heen. Zwanger… Misschien was ze wel zwanger… Op zich was dit een stil gekoesterde droom die uitkwam voor haar, maar de timing had niet beroerder uit kunnen pakken. Het duurde nog enkele maanden voor Leo opgenomen kon worden, tegen die tijd was het natuurlijk allang zichtbaar. Ze kon dat onmogelijk verborgen blijven houden voor hem.

„Zullen we eerst een test doen voordat we allemaal problemen gaan verzinnen die misschien helemaal niet aan de orde zijn?" stelde Nick nuchter voor toen ze daarmee op de proppen kwam. „Misschien heb je wel gewoon een griep die niet echt door wil zetten of had je toch gelijk met je eerdere veronderstelling dat het de spanningen zijn."

Nu hij zijn vermoedens geuit had, wist Colette echter dat Nick gelijk had. Ze voelde het gewoon. De test die hij bij de apotheek haalde, bevestigde dat gevoel even later. Het staafje wees onomstotelijk aan dat Colette, tegen al haar verwachtingen in, binnen afzienbare tijd moeder zou worden.

„Ik weet niet of ik moet lachen of huilen," zei ze, als verdoofd naar het staafje kijkend. „Eigenlijk heb ik dit altijd dolgraag gewild, maar ik heb geaccepteerd dat het niet kon. Zoals ik al zei is Leo onvruchtbaar en van kunstmatige inseminatie van een donor of adoptie wilde hij niets weten. Ik heb van het begin af aan geweten dat we nooit kinderen zouden krijgen en daar had ik vrede mee."

„Werkelijk?" vroeg Nick met opgetrokken wenkbrauwen.

„Nou ja, zoveel mogelijk dan," gaf Colette aarzelend toe. „Zo af en toe stak het wel even de kop op. Met die reportage laatst over die jonge gezinnen heb ik het best wel even moeilijk gehad. Maar het kon niet, dus hield het op. Het heeft weinig zin om je te verdiepen in wat je wilt, maar wat niet mogelijk is, daar ben ik nogal nuchter in." Weer keek ze naar het staafje in haar handen, alsof ze het niet echt kon geloven. „Dit maakt de zaken nog gecompliceerder dan ze al zijn."

„Ben je stiekem ook niet een heel klein beetje blij?" wilde Nick weten.

„Ik weet het niet. Hoe vind jij het?" Vragend keek ze hem aan.

„Eerlijk gezegd fantastisch," antwoordde hij vanuit de grond van zijn hart. Zijn gezicht brak open in een brede grijns. „Hoeveel praktische bezwaren er ook mee spelen, de wetenschap dat ik vader word overheerst alles. Gek, dit had ik nooit verwacht van mezelf."

Hij zag er zo gelukkig uit dat het Colette ontroerde, al was ze tegelijkertijd verbaasd. Nick was niet bepaald het type dat een gezapig gezinsleven ambieerde, daarvoor was hij altijd veel te veel een vrijbuiter geweest.

„Tot ik jou leerde kennen," zei hij na een aarzelende opmerking van haar in die richting. „Jij hebt mijn leven compleet veranderd. Met jou wil ik alles waar ik vroeger niet aan moest denken, Colette. Trouwen, kinderen krijgen, noem maar op. Trouwens, wie heeft het over een gezapig gezinsleven? Wij gaan heel veel reizen en dan nemen we onze kinderen gewoon mee. Ik zie me al door een oerwoud lopen met een peuter in zo'n stellage op mijn rug." Hij genoot zichtbaar van dit vooruitzicht.

„Nu loop je wel heel erg hard van stapel," wees Colette hem grinnikend terecht. „Er moeten nog heel wat obstakels overwonnen worden voor het zover is. Als het ooit zover komt," voegde ze er weer somber aan toe.

„Natuurlijk wel." Hij nam haar in zijn armen en draaide haar de kamer rond. „Moet jij eens opletten. Binnenkort zijn we met zijn drieën en gaan we een heel ander leven tegemoet. Ten eerste gaan we een huis met een tuin kopen, zodat ons kind lekker buiten kan spelen en ten tweede gaan we zo vaak mogelijk weg voor onze zoon of dochter verplicht naar school toe moet. Je weet dat ik pas naar Australië, Canada en Nieuw-Zeeland ben geweest, de noordelijke landen staan ook nog op mijn lijstje. En Azië, niet te vergeten. Met zijn drieën gaan we de hele wereld ontdekken. We slapen gewoon met die kleine in motels en pensions in plaats van in een tentje, dat kan best."

Hij draafde zo door dat Colette zich onwillekeurig mee liet slepen. Met zijn tweeën op de bank, dicht tegen elkaar aan gezeten, fantaseerden ze een fantastische toekomst bij elkaar. Colette ging daar zo in op dat het even leek of Leo helemaal niet bestond. Dankzij Nicks enthousiasme kon Colette zelfs blij zijn met deze onverwachte zwangerschap. Bezwaren leken ineens niet meer te tellen. Pas toen het donker werd, kwam de realiteit weer om de hoek kijken.

„Ik moet naar huis," zei ze spijtig. „Het is toch alweer veel later geworden dan ik gepland had, dus er staat me weer het nodige commentaar te wachten."

„Wat ga je Leo vertellen?" vroeg Nick.

„Wat bedoel je?" antwoordde Colette verbaasd met een tegenvraag. „Niets natuurlijk."

„Daar ben ik het niet mee eens. Leo mag dan patiënt zijn, hij is geen klein, onmondig kind dat niet tegen de waarheid kan. Hij heeft er recht op om dit te weten, Colette."

„Dat klinkt erg gemakkelijk. We zijn dan wel gedwongen in een rolverdeling van verpleegster en patiënt beland, maar wettelijk zijn we nog steeds gewoon man en vrouw. Zelfs als hij niets zou mankeren, zou het niet makkelijk zijn om zoiets te vertellen, al was het dan waarschijnlijk nooit zover gekomen."

„Leo zal toch zelf ook wel inzien dat de situatie zoals die nu is, onhoudbaar aan het worden is."

Colette lachte schamper. „Daar zit je dus totaal naast. Leo neemt alles nog steeds als vanzelfsprekend aan. Ik ben zijn vrouw, dus verplicht om voor hem te zorgen. Dat het voor mij ook moeilijk is, begrijpt hij nog steeds niet. Hij is degene die het zwaar heeft, ik heb geen enkele reden tot klagen."

„Dan wordt het toch tijd dat hij eens normaal na gaat denken," hield Nick vol. „Het is ten eerste simpelweg onmogelijk om dit voor hem verborgen te houden, ten tweede moet het voor hem nog veel moeilijker zijn om achteraf tot de ontdekking te komen dat je hem al die tijd voorgelogen hebt. Ooit komt het in ieder geval uit, hoe dan ook. De klap komt volgens mij veel harder aan naarmate het langer duurt."

„Daar zit wel iets in," moest Colette met tegenzin toegeven. „Maar het klinkt makkelijker dan het is. Hij is ziek, Nick."

„Niet waar. Hij heeft een hersenbloeding gehad, dat is iets anders. Hij gedraagt zich alleen nog als patiënt en jij staaft hem in dat gedrag. Hij is niet achterlijk, Colette."

„Maar wel afhankelijk van mij."

„Eerlijk gezegd heb ik daar zo mijn twijfels over. Volgens mij kan hij veel meer dan hij jou doet geloven. In ieder geval zou hij veel meer kunnen als hij zich daar voor inzet," meende Nick onbarmhartig. „Bovendien houdt het vertellen van de waarheid niet automatisch in dat je hem onmiddellijk in de steek laat. Ik heb je ooit gezegd dat ik dat nooit van je zal verlangen en daar blijf ik bij. De situatie ligt nu echter wel wat anders. Je draagt mijn kind, ik wil zoveel mogelijk bij je zijn. Nu moeten we het hebben van enkele gestolen uurtjes en zoals de zaken nu liggen, vind ik dat veel te weinig. Ik wil met je mee naar de verloskundige, ik wil samen met jou spulletjes voor ons kind kopen en ik wil overal kunnen vertellen dat ik vader word. Het is toch te belachelijk voor woorden dat wij alles stiekem moeten doen omdat je Leo niet wilt kwetsen? Hij is volwassen."

„Zo gedraagt hij zich de laatste tijd niet."

„Dat ligt aan hemzelf. Jij bent niet verantwoordelijk voor hem, Colette."

„Dat klinkt wel heel erg hard," verweet ze hem.

„Je weet hoe ik het bedoel. Niemand, ik zeker niet, dwingt jou om hem helemaal los te laten, maar je zal wel een keer een keus moeten maken. Of wil je ons kind soms stiekem krijgen, zonder dat hij het merkt, om hem of haar vervolgens te verbergen?"

„Dit is een opmerking die nergens op slaat," zei Colette onwillig.

„Nee, het is een opmerking die de kern van de zaak raakt. Als ik Leo zou zijn, zou ik willen dat je eerlijk was."

„Ik zie wel," zei Colette vaag. Een blik op de klok vertelde haar dat ze echt moest gaan. „We hebben het er nog wel over."

„Denk er in ieder geval over na. Besef tenminste wel dat je dit nooit lang voor hem verborgen kunt houden, dus je zult in ieder geval een knoop door moeten hakken. Of er eerlijk voor uitkomen, of er vandoor gaan voordat hij het ziet. Dat laatste zal je nooit doen en veel meer mogelijkheden zijn er volgens mij niet," zei Nick spits.

„Misschien is hij al opgenomen voordat het zichtbaar wordt," zei Colette hoopvol.

„Dan nog. Ga me nou niet vertellen dat je hem nooit meer op gaat zoeken als hij in een verzorgingstehuis zit."

Colette kon niet anders doen dan toegeven dat Nick gelijk had. Op weg naar huis draaiden haar gedachten voortdurend in hetzelfde kringetje rond. Misschien had ze Leo inderdaad zelf ook te veel gezien en dus behandeld als een onmondig kind. Iemand die de waarheid niet aankon en die dus ontzien moest worden. Maar was dat eigenlijk wel zo? Sinds de hersenbloeding had hij lichamelijke beperkingen, maar buiten het feit dat hij een karakterverandering had ondergaan, had hij geen hersenbeschadiging opgelopen. Hij was inderdaad een volwassen man, zoals Nick terecht opgemerkt had, al gedroeg hij zich dan niet zo. Hij had er recht op om te weten wat er speelde. Niet alleen wat haar en Nick betrof, maar ook als het om die opname ging, drong het tot Colette door. Eigenlijk was het te gek voor woorden dat ze dat allemaal achter zijn rug om regelde, alsof hij er zelf niets over te vertellen had. Misschien wilde hij liever alsnog naar een revalidatiecentrum, zodat hij zich daarna zelf kon redden. Desnoods in een aangepaste woning. Dat was een keus die hij zelf moest maken. Natuurlijk zou hij het liefste willen dat alles

bleef zoals het nu was, met haar als particuliere verpleegster, maar die optie bestond niet langer voor hem, dacht
ze ineens beslist. Zij had gedaan wat ze kon, nu was het
echter hoog tijd dat de zaken gingen veranderen. Als Leo
het daar niet mee eens was, was dat heel jammer voor
hem, maar daar kon zij haar leven niet langer naar inrich-
ten. Ze moest nu voor zichzelf kiezen en, zeker niet onbelangrijk, ook voor haar kindje. Terwijl ze stilstond voor
een verkeerslicht, legde Colette even haar handen op haar
nog platte buik. Ze glimlachte.

HOOFDSTUK 17

Het was donker toen Colette haar straat inreed, maar het licht vanuit de huiskamer straalde haar tegemoet. Leo zat dus niet, zoals gewoonlijk, in het donker. Hij had de grote, staande lamp aangedaan en was verdiept in een boek. Op het moment dat ze de huiskamer binnen liep, keek hij als betrapt op. Hij maakte een beweging alsof hij het boek waarin hij las snel wilde verstoppen, viel het haar op. „Ben je daar al? Ik heb je niet aan horen komen," zei hij. Heel even vroeg Colette zich af of hij soms expres de lichten uitdeed als zij thuis kwam, zodat zij zich schuldig zou voelen dat hij in zijn eentje in het donker zat te wachten, niet in staat om iets te doen. Misschien hoopte hij daarmee te bereiken dat ze volledig zou stoppen met werken, want hij had er nooit een geheim van gemaakt dat hij het vervelend vond als zij weg was.

„Je hebt je in ieder geval niet verveeld," zei ze luchtig. „Is het een goed boek?"

„Gaat wel. Een mens moet iets doen," reageerde hij alweer nors. „Het valt niet mee om zoveel alleen te zijn, Colette, zeker niet als je jezelf niet goed kunt redden."

„Daar zal je toch aan moeten gaan wennen," ontglipte het haar. Ze had het eruit geflapt voor ze er erg in had en kon zichzelf wel voor haar hoofd slaan. Nick had dan misschien wel gelijk met wat hij gezegd had, maar ze hoefde het niet onmiddellijk op deze manier ter sprake te brengen. Dat ze had ze rustig willen doen, op een moment waarop het uitkwam. Hoewel, een dergelijk gesprek kwam nooit gelegen, realiseerde ze zich.

Leo keek alert op, daarmee haar hoop dat hij het niet gehoord had de bodem inslaand.

„Wat bedoel je? Ben je van plan om nog meer te gaan werken dan je nu al doet? Kan het je dan helemaal niet schelen hoe ik me voel?"

„Daar gaat het niet om." Colette haalde diep adem om moed te verzamelen. Het zag er naar uit dat ze nu, onvoorbereid, in het diepe moest springen, hoewel dat niet haar bedoeling was geweest. Nu het echter zo gelopen was, was het waarschijnlijk beter om dan maar meteen helemaal open kaart te spelen. Eens moest het er toch van komen. Na alles wat ze net overdacht had, kon ze Leo nu niet gerust stellen door te zeggen dat er niets aan de hand was, om hem vervolgens later te moeten vertellen dat ze wilde scheiden. Dat zou niet eerlijk zijn.

„Ik denk dat wij eens moeten praten," zei ze daarom. Ze ging tegenover hem op de bank zitten.

„Ik geloof niet dat ik het wil horen," reageerde Leo afwijzend. Hij draaide zijn hoofd om zodat hij haar niet aan hoefde te kijken.

„Het is belangrijk, Leo." De verleiding was groot om er inderdaad niet verder op in te gaan, maar Colette besloot nu maar meteen door de zure appel heen te bijten. „Het gaat niet langer zo, ik hou het niet meer vol." Ze sprak expres kalm en weloverwogen en niet op een beschuldigende toon. „Het wordt me te zwaar om voortdurend voor jou te zorgen."

„Je wilt van me af," constateerde Leo bitter.

„Het klinkt erg cru als je het zo zegt, maar er moet inderdaad een andere oplossing komen. Ik heb er al met mijn huisarts over gepraat en we vinden allebei dat opname in een verzorgingstehuis het beste is. Zowel voor jou als voor mij."

„Hoe weet jij nou wat voor mij het beste is?" viel hij fel uit.

Zijn gezicht was vertrokken van zowel woede als verdriet. Colette zag het met lede ogen aan. „Hoe kan zo'n onpersoonlijk tehuis nou beter voor me zijn dan jij? Zeg dan tenminste eerlijk dat je niet meer wilt, dat je bij me weg wilt." „Ik kan het niet meer aan," herhaalde Colette. „Smoesjes. Je bent jong en gezond, dus dat kan de oorzaak niet zijn. Je wilt me gewoon dumpen. Lozen als iets onbelangrijks. Weggooien als oud vuil, zodat jij lekker je eigen leven kunt gaan leiden. Je wordt bedankt, Colette. Ik had meer van je verwacht." Het klonk hard en meedogenloos. Colette begon kwaad te worden bij deze onterechte aanval, al had ze eigenlijk niets anders verwacht. Leo reageerde al zo als zijn brood niet goed gesmeerd was.

„Zo makkelijk ben jij anders niet," sneerde ze. „Vanaf de dag dat jij ziek werd, heb ik alles voor je gedaan wat in mijn vermogen lag. Ik verzorg je zo goed ik kan, ik heb zelfs mijn baan bij Lindy voor je opgegeven. En wat krijg ik ervoor terug? Een grote mond, zielig gedrag en verwijten omdat ik wel gezond ben en jij niet. Wat wij hebben is allang geen huwelijk meer, Leo. Ik ben je particuliere verpleegster, meer niet. Nog nooit, geen ene keer, heb je laten merken dat je waardering hebt voor wat ik allemaal doe."

„Het zou normaal moeten zijn dat een vrouw dat voor haar man doet," gaf hij bitter terug. „Daar hoef ik je niet voor te bedanken. Ik zou ook voor jou gezorgd hebben als het andersom was geweest."

„Ik zou jou in dat geval nooit zo de grond in trappen als jij bij mij hebt gedaan."

„Je hebt makkelijk praten," hoonde Leo. „Hoe weet jij hoe je zou reageren als iets dergelijks te overkwam? Je weet er niets vanaf, helemaal niets."

„Waarschijnlijk heb je daar gelijk in," zei Colette dof. Ze werd ineens overvallen door een dodelijke vermoeidheid. „Ik maak je ook geen verwijten, Leo."

„Nou, zo klonk het anders wel," onderbrak hij haar kwaad.

„Dat was niet mijn bedoeling. Ik wil je nergens van beschuldigen, ik wil je alleen duidelijk maken dat het niet langer vol te houden is op deze manier. Ik heb het geprobeerd, dat zul je toch toe moeten geven."

„En daar moet ik dankbaar voor zijn? Ik ben ziek en hulpbehoevend, maar mijn echtgenote heeft in ieder geval geprobeerd om voor me te zorgen, dus ik mag niet zeuren. Dat het haar niet lukt en ik daar dus de dupe van word, is blijkbaar niet zo belangrijk. Ik kan barsten. De rest van mijn leven mag ik wegrotten in een tehuis."

De tranen sprongen in Colettes ogen. Na de enerverende dag die ze al achter de rug had, kon ze dit helemaal niet hebben.

„Ik zal je nooit in de steek laten," beloofde ze met de moed der wanhoop. „Ik zal er altijd voor blijven zorgen dat je niets tekort komt en ik kom je regelmatig opzoeken."

„Hoera," zei hij cynisch. „Tot je een ander ontmoet waarschijnlijk."

„Niet waar," verdedigde Colette zich heftig. „Zo ben ik niet, dat weet je. Ik laat je nu immers ook niet in de steek nu ik..." Ze zweeg betrapt. Haar wangen werden rood en ze sloeg haar ogen neer.

„Aha, daar heb je jezelf verraden," zei Leo bijna triomfantelijk. „Je hebt dus een ander. Vandaar ineens dat onzalige plan om mij weg te stoppen. Ik zit jullie in de weg."

„Zo zit het niet."

„Mij maak je niets wijs, Colette. Je wilt van me af, dat zei ik net al. Ik ben niet langer nodig, blijkbaar. Je nieuwe geliefde is zeker jong en gezond, net als jij? Ach ja, wat moet je ook met een oude invalide. Ik was goed genoeg voor je toen je eenzaam was, maar nu ben ik een blok aan je been geworden, dus moet ik weg. Denk anders maar niet dat ik me zo makkelijk weg laat stoppen. Daar ben ik tenslotte altijd nog zelf bij."

Hij stond op en keek haar vanuit de hoogte aan. Hij was vrij makkelijk overeind gekomen, registreerde Colette ondanks alles. Beter dan ze van hem gewend was.

„Je zou naar een revalidatiecentrum kunnen. Daar kunnen ze je leren hoe je met je beperkingen om moet gaan. Wellicht kun je daarna gewoon op jezelf wonen."

„Is die opmerking bedoeld om mij te troosten of om je eigen geweten te ontlasten?" vroeg hij op spottende toon.

„Ik heb geen zin meer in dit gesprek. Ik ga naar bed."

„Ik zal je helpen." Automatisch stond Colette op, maar hij wees haar hulp van de hand.

„Nee, dank je wel," zei hij hautain. „Ik zal toch moeten leren om het zelf te doen, nietwaar? Van jou hoef ik niets meer te verwachten."

Leunend op zijn stok, maar met een rechte rug, liep hij weg. Weer viel het Colette op dat hij beter liep dan ze van hem gewend was. Was het echt mogelijk dat hij zich al die tijd hulpbehoevender voor had gedaan dan hij echt was, in een vreemde poging haar aan zich te binden? Ze voelde woede opkomen bij deze gedachte. Als het zijn bedoeling was geweest dat zij zich schuldig voelde omdat ze ook nog een stukje eigen leven had gecreëerd naast de verzorging van hem, dan was dat hem prima gelukt. Schuldgevoelens had ze vanaf het eerste ogenblik al gehad. Maar dat was nu afgelopen, nam ze zich ferm voor. Van nu af aan zou ze voor zichzelf kiezen. Weliswaar zonder zijn belang uit het oog te verliezen, maar in ieder geval ook zonder zich nog langer als zijn voetveeg te laten gebruiken. Dat had hij al veel te lang gedaan. Al die tijd had ze gedacht dat hij zich daar niet echt van bewust was, dat het door zijn ziekte kwam, nu begon ze daar echter aan te twijfelen. Leo bleek zich veel beter te kunnen bewegen dan hij altijd had laten zien. Voor zijn hersenbloeding was haar werk al een heet hangijzer geweest tussen hen, waarschijnlijk had hij gehoopt dat zijn nieuwe status als patiënt haar over de streep zou trekken om het helemaal op te geven. Hij begreep blijkbaar niet dat zijn houding averechts had gewerkt. Juist omdat hij zo volledig afhankelijk was van haar, had ze ervoor gevochten om dat ene stukje leven buiten de deur te houden. Ze had het hard nodig gehad om zich staande te kunnen houden.

Colette lachte bitter in de stilte van de kamer. Leo zou zichzelf waarschijnlijk voor zijn hoofd slaan als ze hem dit zou vertellen, want hoe langer ze erover nadacht, hoe zekerder ze ervan werd dat hij haar danig gemanipuleerd had. Hij had zijn ziekte gewoon gebruikt om te proberen zijn zin door te drijven in een meningsverschil dat lang voor zijn hersenbloeding al speelde. Pijnlijk duidelijk herinnerde ze zich de dag van zijn hersenbloeding, hoe hij met kinderachtig gedrag had geprobeerd haar ervan te weerhouden naar de receptie en het feest te gaan en hoe hij uiteindelijk beledigd te kennen had gegeven zelf niet mee te gaan. Ze had daar later niet meer bij stilgestaan, omdat hij diezelfde avond die hersenbloeding had gekregen, maar het was natuurlijk wel tekenend voor zijn gedrag van nu. Zonder zijn hersenbloeding had hun huwelijk die problematiek misschien ook niet overleefd, begon

Colette zich te realiseren. Als je stelselmatig werd tegengewerkt in datgene wat je graag deed, was dat niet al te best voor een relatie. Leo had nooit begrepen dat zij haar werk nodig had. Ten eerste omdat ze van haar baan hield, ten tweede omdat ze zich wilde blijven ontwikkelen. Hij had dat onzin gevonden. Ze hoefde niet te werken, want hij verdiende genoeg, was zijn stelregel. Nadat ze haar certificaten behaald had, had hij dan ook op alle mogelijke manieren geprobeerd haar ervan te weerhouden om carrière te maken. Zogenaamd omdat die onregelmatige werktijden fnuikend waren, maar in werkelijkheid om haar klein te houden, dacht ze nu. Het was een heel nieuw gezichtspunt voor haar. Totdat hij ziek werd, had ze er altijd nog vertrouwen in gehouden dat dit meningsverschil nog wel opgelost zou worden. Met een beetje goede wil van beide kanten hoefde het tenslotte helemaal geen discussiepunt te zijn. Die goede wil was echter alleen van haar kant gekomen, Leo had niets anders gedaan dan tegenwerken. Enig begrip voor haar kant had hij in dit opzicht nooit getoond. Met wat ze nu ontdekt had, betwijfelde ze sterk of dat ooit anders geworden zou zijn. Hoogstwaarschijnlijk niet.

Tijdens haar studie had Leo zich aan haar aangepast, dat moest ze eerlijk toegeven. Hij had later echter zelf bekend dat hij dat alleen gedaan had omdat hij er vanuit was gegaan dat dit slechts tijdelijk nodig was. Nadat ze haar diploma's had behaald, zou hun leven van voor die tijd weer gewoon opgepakt worden met hem als hoofdkostwinner en Colette met haar parttime baantje naast het huishouden. Dat ze daar totaal niets voor voelde en zich te pletter verveelde, had hij achteloos opzij geschoven.

Had iedereen dan toch gelijk gehad dat het niet verstandig

was om met een man te trouwen die zoveel ouder was? Maar tot aan dat punt waren er nooit problemen tussen hen geweest. Ze hadden een prima, gelijkwaardige relatie gehad, ondanks hun verschil in leeftijd. Nou was het natuurlijk wel zo dat zij zich van het begin af aan had aangepast aan zijn leven. Het was bijvoorbeeld Leo's idee geweest dat ze parttime zou gaan werken en zij was zo geroerd geweest door zijn bezorgdheid om haar welzijn dat ze daar niet eens verder over na had gedacht, maar dat advies klakkeloos had opgevolgd.

Colette zuchtte diep. Had ze zich destijds zand in de ogen laten strooien door Leo omdat ze hem toen nodig had en ze zich aan hem vastklampte of was hij werkelijk zo erg veranderd na die hersenbloeding? Waarschijnlijk allebei een beetje. In de loop der tijd, voor hij ziek werd, was ze al tot de ontdekking gekomen dat Leo's opvattingen wel heel erg verschillend waren van die van mannen van haar eigen leeftijd. Natuurlijk lag dat ook aan zijn karakter, maar zijn leeftijd was daar wel degelijk ook debet aan. Hij was in een hele andere tijd opgegroeid. Zijn huwelijk met Isa was er bijvoorbeeld één van de oude stempel geweest. Leo werkte hard buitenhuis, zij verzorgde de huishouding. Een strikte scheiding van taken, die ze beiden heel normaal vonden. Leo vond dat nog steeds normaal, zij, Colette, dacht daar echter heel anders over. De beruchte generatiekloof, dacht ze even met een grimas. Hoewel ze altijd had gedacht dat die tussen hen geen rol speelde, kon ze nu niet anders dan toegeven dat het wel degelijk belangrijk was. Hun levenswijze en hun denkbeelden waren erg verschillend, al was dat in het begin van hun relatie nooit zo opgevallen. Colette had toen net een periode achter de rug waarin ze voor haar zieke moeder had gezorgd, tijd om te stappen en lol te maken met leeftijdsgenoten had ze niet gehad. Mede daardoor had ze zich veel ouder gevoeld dan haar vriendinnen uit die tijd. Vriendschappen waren verwaterd en zelfs verbroken en toen ze na het overlijden van haar moeder in een zwart gat viel, was er niemand meer geweest om haar daaruit te helpen. Behalve Leo. Dankzij hem was ze er weer bovenop gekrabbeld en had ze zich niet meer zo eenzaam gevoeld. Toch had ze oprecht van hem gehouden, kon ze met zekerheid zeggen. Zonder die hersenbloeding had hun huwelijk wellicht ook niet eeuwig geduurd, maar ze had er zeker geen spijt van. Ze was echt gelukkig geweest met hem, ondanks de bezwaren van de buitenwereld. Dat het achteraf anders gelopen was dan ze in haar roze dromen had verwacht, was jammer, maar deed niets af aan haar gevoelens van toen. Alleen was er van die gevoelens niets meer over. Dat had ze al eerder ontdekt, maar nu ze alles rustig op een rijtje zette wist ze dat helemaal zeker. Het was gewoon over. De tijd, de problemen in hun relatie en zijn ziekte hadden hun liefde niet kunnen weerstaan. Het was tijd om beslissingen te nemen en verder te gaan. Het was voor het eerst dat ze dat echt rationeel kon denken zonder dat haar schuldgevoel om de hoek kwam kijken.

Moeizaam stond Colette op. Ze was koud geworden van het lange stilzitten en haar spieren voelden stijf en stram aan. Langzaam liep ze naar boven. Ze hoopte dat Leo al zou slapen, want ze had absoluut geen zin om hun gesprek van eerder die avond voort te zetten. De verwijten die hij naar haar hoofd had geslingerd hadden haar behoorlijk pijn gedaan. Ze verwachtte heus niet dat hij op zijn knieën zou vallen uit dankbaarheid voor alles wat ze voor hem gedaan had, maar zoals hij nu gereageerd had, was het andere uiterste.

Uit zijn ademhaling kon ze niet echt bepalen of hij sliep of dat hij wakker was, maar gelukkig voor haar zei hij in ieder geval niets. Zonder licht te maken kleedde ze zich uit en gleed naast hem onder het dekbed. Ze was doodmoe na deze rare dag. En ze hadden niet eens gegeten vanavond, realiseerde ze zich. Honger had ze echter niet, hoewel het voor de baby waarschijnlijk beter zou zijn als ze toch iets zou eten. Ze kon een paar crackers maken en een beker melk drinken, overwoog Colette terwijl ze op haar rug lag en in het donker naar het plafond staarde. Ze mocht nu niet langer alleen aan zichzelf denken, er was een piepklein wezentje waar ze verantwoordelijk voor was. Het was nog steeds een absurd idee dat ze zwanger was. Ook een heerlijk idee. Ze zou dus toch moeder worden, iets waar ze niet meer op had durven hopen. Langzaam sukkelde Colette in slaap, fantaserend over de toekomst die haar te wachten stond. Ze zag een kindje voor zich die sprekend op Nick leek, met dezelfde warrige, blonde haren.

Ze werd even later ruw uit haar slaap gewekt door een heftig gekreun naast haar. Geschrokken schoot ze overeind.

„Leo?" Haar stem klonk hol in de donkere kamer. Tastend naar het lichtknopje noemde ze zijn naam nog een paar keer, echter zonder dat ze een reactie terug kreeg. Eindelijk had ze het knopje gevonden. Ineens baadde de kamer in een zee van licht. Naar Leo kijkend kon Colette een kreet van ontzetting niet onderdrukken. Hij lag half op zijn rug, half op zijn zij. Met holle ogen staarde hij haar aan. Hij probeerde te praten, maar er kwamen slechts wat zachte, onverstaanbare klanken uit zijn mond. Zijn gezicht was asgrauw.

„Leo!" Colette sprong uit bed, ondertussen haar mobiele telefoon van het nachtkastje grissend. Met trillende vingers toetste ze het alarmnummer in.

HOOFDSTUK 18

Nick was direct gekomen na haar paniekerige telefoontje. Samen zaten ze nu in de wachtkamer van het ziekenhuis, wachtend op wat komen ging. Hoewel Colette blij was dat Nick haar wilde steunen, voelde het vreemd om nu met hem hier te zitten. Leo en Nick waren twee verschillende werelden voor haar, zij zat daar tussenin. Die twee werelden samenvoegen, leek een heel slecht idee. In ieder geval voelde het ongemakkelijk, zeker na het gesprek dat ze eerder die avond met Leo had gevoerd.

„Ik denk dat dit mijn schuld is," zei ze als een vervolg op die gedachten. „Ik heb Leo vanavond verteld dat ik met de huisarts heb gepraat over een opname. Hij was woedend."

„Daar krijgt een mens geen hersenbloeding van," probeerde Nick haar gerust te stellen.

„Nou?" Colette waagde het dit te betwijfelen. „Een hoge bloeddruk is de belangrijkste oorzaak en hij heeft zich zo opgewonden dat ik me niet voor kan stellen dat zijn bloeddruk erg laag was op dat moment. Bovendien wist hij me te ontfutselen dat ik allang iemand anders heb. Die mededeling is behoorlijk hard aangekomen bij hem."

„Lieve schat, leer nu toch eens om die zinloze schuldgevoelens van je af te zetten." Teder pakte Nick Colette vast. „Als het nu niet was gebeurd, na jullie gesprek, dan had hij het wel een andere keer gekregen. Het ligt niet aan jou, echt niet. Je kunt toch niet altijd iedereen ontzien en met zijden handschoentjes aanpakken omdat er wel eens iets als dit kan gebeuren. Leo is echt niet de eerste man die van zijn vrouw te horen heeft gekregen dat ze een ander heeft en wil scheiden."

„Dit ligt toch even anders dan dezelfde mededeling aan een gezonde man doen."

„Dat ben ik niet helemaal met je eens. Je ziet de zaken niet helder meer op dit moment. Op zich begrijpelijk, maar laat je daar alsjeblieft niet door meeslepen. Dit was niet jouw schuld, punt uit. Niemand, echt helemaal niemand, had kunnen voorkomen dat dit gebeurde."

„Kon ik dat ook maar geloven." Colette zuchtte diep. Het was inmiddels midden in de nacht en ze voelde zich behoorlijk beroerd. Van slapen was nog helemaal niets gekomen, al was dat het laatste waar ze zich nu druk over maakte. „Het is zo'n rare avond geweest. Zonder dat ik het zelf eigenlijk wilde, flapte ik er zomaar uit dat er iets moest veranderen en daar volgde een heel heftig gesprek op. Leo is op een gegeven moment naar bed gegaan en toen heb ik nog heel lang na zitten denken. Ik was net tot de conclusie gekomen dat hij toch niet de man was die ik altijd in hem gezien had en dat ons huwelijk het zonder die hersenbloeding waarschijnlijk ook niet gered had. Stiekem vond ik hem oud, ouderwets en bekrompen."

„En ook daar voel jij je nu schuldig om," begreep Nick.

„Eigenlijk wel. Hij zag er zo deerniswekkend uit toen hij zich verstaanbaar probeerde te maken, maar het niet kon."

„Maar lieve schat, dat hij op dat moment je medelijden opwekte, verandert niets aan de feiten. Of ben jij nu ineens van gedachten veranderd en wil je toch bij hem blijven?"

„Ik weet niet wat ik voel of moet denken. Het is ineens allemaal zo verwarrend." Colette sloeg haar handen voor haar gezicht en begon te huilen.

„Dat hoeft het niet te zijn," zei Nick zacht. „Je maakt het

zelf nodeloos ingewikkeld, omdat je medelijden met hem hebt. Maar medelijden en liefde zijn twee hele verschillende dingen, Colette."

„Ik zeg toch ook niet dat ik nog van hem hou." Ongeduldig schudde ze zijn arm weg. Ze had even geen behoefte aan liefkozende aanrakingen van Nick, daarvoor was ze veel te veel met Leo bezig. „Jij denkt alleen met je verstand, ik kan dat niet."

„Als je gevoelens maar niet de overhand krijgen," vond Nick het nodig om haar te waarschuwen. „Ik zie het er nog van komen dat je uit schuldgevoel bij hem blijft."

„Dat maak ik dan zelf wel uit," zei Colette kil.

Hun gesprek werd onderbroken omdat de dokter de wachtkamer inkwam. Het was dezelfde arts die Leo de eerste keer had behandeld. Zijn gezicht stond ernstig.

„Hij heeft inderdaad een nieuwe hersenbloeding gehad," viel hij met de deur in huis. „Zwaarder dan de eerste keer. Ik vrees dat hij er nu niet zo goed vanaf komt."

„Overleeft hij het wel?" vroeg Colette gespannen.

„Daar is op dit moment nog weinig van te zeggen. Hij ligt in coma en voorlopig houden we hem slapend. Ik zou er wel serieus rekening mee houden dat uw man niet meer thuis komt," zei de arts. „Hij heeft een behoorlijk zware klap gehad."

„Mag ik bij hem?"

„Dat lijkt me niet verstandig. Zoals ik al zei ligt uw man in coma, hij merkt nergens iets van. U kunt het beste naar huis toe gaan, hier kunt u niets voor hem doen. Heel veel sterkte."

Verloren bleef Colette midden in de wachtkamer staan nadat de arts het vertrek verlaten had. Dit klonk wel heel ernstig.

Nick pakte haar bij haar schouders. „Kom mee, Colette, dan breng ik je thuis," zei hij.

„Ik wil niet naar huis. Ik kan hem toch niet zomaar alleen achter laten?"

„Je hoorde wat de dokter zei, je kunt niets meer voor hem doen." Met zachte dwang leidde hij haar naar de uitgang. Eenmaal buiten op de parkeerplaats wierp Colette nog een vertwijfelde blik achterom.

„Wat nu?"

„Nu ga jij eens aan jezelf denken," antwoordde Nick beslist. „Te beginnen met een warm bad en daarna je bed in. Je bent doodmoe."

„Ik kan toch niet slapen."

„O jawel." Het klonk onverbiddelijk. „Hou er rekening mee dat je zwanger bent. Je moet aan het belang van ons kindje denken."

„Onze baby…" Colette bleef stokstijf staan. „Dat heb ik Leo nog niet eens verteld. Als hij daar achter komt kan het wel eens zijn doodsteek zijn."

„Hou nou eens op met voortdurend alleen maar rekening met Leo te houden," viel Nick onverwachts scherp uit. „Hij heeft er alles aan gedaan om je carrière te dwarsbomen, bovendien heeft hij het laatste jaar je leven tot een hel gemaakt. Ik mag toch hopen dat die arts gelijk heeft met zijn bewering dat hij niet meer thuis komt, anders kom je nooit van hem los."

„Wat een rotopmerking." Met ontzetting in haar ogen keek Colette hem aan. Ze weigerde nog een stap te zetten.

„Geef toe dat het de beste oplossing is zo."

„Zo kan ik er niet over denken en het valt me zwaar van je tegen dat jij dat wel doet. Ik wist niet dat je zo egoïstisch kon zijn."

„Colette, je hebt hem alles gegeven wat je had. Het wordt nu tijd om vooruit te kijken en aan jezelf, en aan ons, te denken."

„Zomaar ineens? Leo is veilig weggestopt, waarschijnlijk voor altijd, dus ik kan mijn leven weer oppakken en net doen of er niets gebeurd is? Ik moet er nog blij om zijn ook dat het op deze manier gegaan is. Misschien gaat hij zelfs wel dood. Tjonge, tjonge, zou dat even een mooie oplossing zijn. Dan zijn we in één klap overal vanaf," beet Colette hem toe.

Nick wreef met zijn hand door zijn haren, hij zag er verslagen uit. „Zo bedoelde ik het niet."

„Zeg dan ook niet zulke dingen."

„Neem me vooral niet kwalijk dat mijn voornaamste zorg bij jou ligt," reageerde hij sarcastisch. „Ik gun het niemand om een hersenbloeding te krijgen, maar ik kan niet treuren om Leo. Dat jij dat wel doet is begrijpelijk, maar je hoeft het ook weer niet te overdrijven. Het is toch niet zo dat de liefde van je leven daar ligt te vechten en dat jouw leven totaal niets meer waard is als het fout afloopt."

„Je maakt het er niet beter op met dergelijke opmerkingen," zei Colette kil. Ze draaide zich om en begon de andere kant op te lopen. „Ik neem wel een taxi naar huis."

„Colette, doe niet zo raar en stap in." Nick pakte haar bij haar arm en hield stevig vast, ondanks haar pogingen om zich los te trekken. „Ik breng je veilig thuis, hoe je ook protesteert." Hij opende het portier en duwde haar zonder plichtplegingen naar binnen. „Als je dat wilt, zal ik je de komende dagen met rust laten, maar ik wil zeker weten dat je zonder problemen thuis komt."

„Als je niets beters weet te zeggen dan dit soort onzinnige opmerkingen, ben ik inderdaad liever alleen, ja," zei ze kil.

Zonder nog iets te zeggen, stuurde hij zijn wagen de richting van haar huis op. Colette vroeg hem niet binnen, ze zei alleen stug gedag en stapte uit. Ze keek niet meer om voor ze haar huis inliep. Direct daarna hoorde ze de wagen snel optrekken.

Hij was zeker beledigd, dacht ze spottend. Nou, dat moest dan maar. Ze nam hem zijn opmerkingen zeer kwalijk. Voor Nick was deze nieuwe ontwikkeling de oplossing van hun problemen, zij kon daar niet zo over denken. Rusteloos liep ze door het donkere huis heen. Overmand door slaap ging ze uiteindelijk op de bank liggen. Ze kon het niet opbrengen om hun bed in te stappen, het bed waar Leo net zo hulpeloos had gelegen. De blik van angst waarmee hij haar aangekeken had, kon ze niet uit haar hoofd zetten. Haar moeheid won het van de verwarde gedachten die door haar hoofd heen tolden. Uitgeput viel Colette in slaap, om na een paar uur alweer wakker te worden. Het ochtendlicht schemerde door de ramen heen. Ze was te onrustig om te blijven liggen. Na een snelle, hete douche belde ze het ziekenhuis en kreeg te horen dat er nog geen verandering in de situatie van Leo was opgetreden. Wat nu? Ze kon natuurlijk naar hem toe gaan, maar veel nut zou dat niet hebben. Leo wist op dit moment nergens meer van. Heel even was ze daar zelfs een beetje jaloers op. Colette wist zelf niet meer waar ze met haar gevoelens van onmacht, schuld en verdriet naar toe moest. Het was zo moeilijk en verwarrend allemaal. Ze moest met iemand praten, proberen de zaken op een rijtje te krijgen. Maar met wie? Nick was hier niet de aangewezen persoon voor, hij stond hier niet objectief in. Mariska, wist ze ineens. Bij Mariska zou ze zeker terecht kunnen, dat was iets wat ze zich niet eens af hoefde te vragen. Eenmaal tot dat besluit gekomen, dacht Colette niet verder na. Ze pakte wat spullen in een weekendtas en stapte in haar auto. Ze stond er niet eens bij stil om haar vriendin te bellen, zo zeker was ze ervan dat ze bij haar altijd welkom was.

Ze kreeg gelijk. Mariska was nog niet eens aangekleed toen Colette in de vroege ochtend voor de deur stond, maar één blik op haar witte gezichtje was voor Mariska genoeg. Ze spreidde allebei haar armen wijd uit en smoorde haar in een hartelijke omhelzing.

„Daar doe je goed aan, om deze kant op te komen," zei ze alsof het de normaalste zaak van de wereld was dat haar vriendin onaangekondigd om half acht 's ochtends op de stoep stond. „Kom binnen, dan zet ik koffie. Jan is al naar zijn werk." Ze trok haar mee naar de keuken, waar Wessel aan de tafel zat. „We zijn net aan het ontbijten. Ga zitten en eet een boterham mee."

Ze zette een extra bord op tafel en smeerde een boterham voor Colette. Die merkte nu pas dat ze honger had. Gisteravond hadden ze in alle consternatie ook al niet gegeten, herinnerde ze zich.

„Kan jij niet zelf je brood maken?" informeerde Wessel met volle mond. „Ik wel, hoor."

„Maar jij bent al een grote jongen," zei Mariska met een knipoog naar Colette.

„Zij is toch ook een groot meisje," zei hij daar verontwaardigd op.

Mariska streek even door zijn weerbarstige haren. „Ga jij je tas maar pakken, dan ga ik tante Wilma bellen of je met haar mee mag naar school. Wilma is mijn buurvrouw," verduidelijkte ze tegen Colette. „Ze heeft een zoontje die bij Wessel in de klas zit, die twee zijn dikke vrienden. Als ik haar bel, vindt ze het vast wel goed dat Wessel vast naar haar toe komt."

Colette knikte alleen maar. Ze had nog geen woord gezegd sinds ze hier binnen was komen vallen, maar dat hoefde ook niet. Mariska gunde haar alle tijd om bij te komen. Praten doen we straks wel, dacht ze verstandig bij zichzelf.

Ze hielp Wessel met zijn spullen, bleef in de deuropening staan kijken om zich ervan te verzekeren dat hij inderdaad bij de buren naar binnen ging en stoof naar boven om zich aan te kleden. Een kwartier later zaten de twee vriendinnen tegenover elkaar in de ruime, zonnige huiskamer van Mariska en Jan, met een grote pot koffie tussen hen in.

„Het spijt me dat ik zo onverwachts binnen kom vallen," zei Colette ineens. „Ik wist niet meer wat ik moest doen."

„Je hebt het goede besluit genomen om hierheen te komen," zei Mariska hartelijk. „Ik vind het heerlijk om je weer eens te zien."

„Het is niet bepaald een gezelligheidsbezoekje."

„Dat had ik al begrepen." Mariska schonk een beker koffie in en gaf die aan Colette. „Stort je hart maar eens lekker uit, meid."

Meer aansporing had Colette niet nodig. Het hele verhaal kwam eruit. De vele ruzies, Leo's onredelijke gedrag en de conclusies die ze de avond daarvoor getrokken had, om te eindigen met de nieuwe hersenbloeding van Leo.

„Het is niet niks, geen wonder dat het je even teveel geworden is," zei Mariska kalm.

„Je weet nog niet alles." Colette nam een slokje van haar koffie. Het smaakte haar niet, maar het vocht was warm en daar had ze wel behoefte aan. Ze staarde over haar beker heen uit het raam naar de voortuin, waar Jan vrolijk gekleurde tegels in had gelegd. Mariska drong niet aan, ze wachtte rustig af wat Colette nog meer te vertellen had, al was ze wel benieuwd wat er nog zou volgen. „Ik ben zwanger."

„Wat?" Perplex zette Mariska haar beker neer. Deze mededeling had ze zeker niet verwacht, vooral niet na Colettes trieste verhaal over haar huwelijk. „Zwanger? Maar... Hoe... Het kind is niet van Leo," begreep ze toen. „Ach, lieve schat, wat moeilijk voor je. En hoe staat het met de vader van de baby? Is hij nog in het zicht of eh...?"

Colette knikte. „Daar hoef je niet bang voor te zijn. Hij is dolblij met het feit dat hij vader wordt en wil niets liever dan samen met mij een gezinnetje stichten," zei ze op wrange toon.

„Maar wat is het probleem dan?" informeerde Mariska voorzichtig. „Je zegt het alsof dat een misdaad van hem is. Hou je niet van hem?"

„Natuurlijk wel. Anders zou ik toch nooit zwanger zijn geraakt van hem," antwoordde Colette daarop simpel. „Het is alleen... Nick is blij dat Leo opnieuw een hersenbloeding heeft gekregen, zodat de weg voor ons vrij is om samen te zijn en hij begrijpt niet dat ik daar niet zo over denk," ratelde ze ineens.

Mariska moest dit even op zich in laten werken. Het was ook wel veel informatie in één keer. Zo langzaamaan begon het haar te duizelen.

„Hoe lang ken je die Nick al?" wilde ze weten.

„Een tijdje," antwoordde Colette vaag. „Hij is fotograaf, ik heb hem via mijn werk leren kennen. We werden verliefd, ook al ben ik een getrouwde vrouw. Je mag me daar gerust om veroordelen."

„Dat ben ik absoluut niet van plan. Niemand weet beter dan ik hoe zwaar de afgelopen tijd voor jou is geweest, al kom ik nu tot de ontdekking dat het nog veel erger is dan ik dacht. Ik gun je van harte dit nieuwe geluk."

„Het gaat anders wel ten koste van Leo."

„Zo moet je niet denken, Colette. Wat Leo overkomen is, is heel erg, maar daar heb jij geen schuld aan. Evenmin ben je verplicht om de rest van je leven voor hem te blijven zorgen, dat zou onmenselijk zijn," beweerde Mariska.

„Ik ben met hem getrouwd, dus die verplichting heb ik wel."

„Onzin. Ik kan me voorstellen dat je dat zo voelt, maar het is niet reëel. Je bent nog geen dertig, bovendien zijn jullie omstandigheden zo veranderd dat er van een huwelijk geen sprake meer is. Probeer het los te laten, Colette. Liefde voel je allang niet meer voor Leo en niemand kan je dat kwalijk nemen na alles wat er gebeurd is. Wees een vriendin op de achtergrond voor hem. Zorg ervoor dat hij niets tekort komt, help hem als dat nodig is, maar richt je verder op je eigen leven. Met Nick en jullie kindje, in dit geval."

„Iedereen verwacht blijkbaar dat ik mijn zieke echtgenoot zonder meer inruil voor een jonge, gezonde vent," zei Colette bitter. „Ben ik nou werkelijk de enige die dat egoïstisch vindt?"

„Als er iemand niet egoïstisch is, ben jij het wel," zei Mariska daarop. „Je hebt alles voor Leo gedaan wat in je macht lag, ook al maakte hij je het leven onmogelijk. Je hoeft jezelf absoluut geen enkel verwijt te maken."

Dat zei iedereen tegen haar, maar voor Colette voelde dat niet zo. Ook al was haar liefde voor Leo verdwenen en had ze inmiddels al geconstateerd dat hun huwelijk het waarschijnlijk toch niet gered had, ze voelde zich nog steeds met hem verbonden. Ze kon niet zomaar alles wat ze samen meegemaakt hadden van zich afschuiven. Niemand leek dat te begrijpen. Emily en Simon niet, haar vader niet, Nick niet en Mariska dus ook niet. Ze drongen er allemaal maar op aan dat ze van Leo moest scheiden en dat ze aan zichzelf moest denken. Het klonk zo makkelijk. Lag het voor haar ook maar zo simpel. Haar toekomst lag bij Nick, maar het verleden met Leo maakte ook een wezenlijk deel van haar leven uit. Ze voelde zich gevangen tussen twee werelden.

Ze bleef bij Mariska en Jan logeren en probeerde in die tijd haar gevoelens en verstand op één lijn te krijgen. Iedere dag belde Colette naar het ziekenhuis, maar er was nog steeds geen verbetering in de situatie. Leo zou in ieder geval nooit meer de oude worden, had zijn arts haar verteld. Opname in een verpleegtehuis was inmiddels iets noodzakelijks geworden. Met Nick zocht ze geen contact. Ze had een berichtje ingesproken op zijn mobiel dat ze veilig was en dat hij zich geen zorgen hoefde te maken, want ze wilde hem zeker niet in ongerustheid laten zitten, maar ze had tijd nodig om alles te verwerken. Hij had een lief sms'je teruggestuurd waarin hij schreef dat hij van haar hield en dat hij haar alle tijd gunde die ze nodig had.

De dagen gleden langzaam voorbij. Colette liet zich heerlijk verwennen door Mariska en ze kwam eindelijk tot rust nu ze even niets hoefde te doen. Nu voelde ze pas echt hoe zwaar het was geweest om Leo te verzorgen. Hij had dan ook niet bepaald meegewerkt om het wat makkelijker voor haar te maken. Dat laatste kon ze inmiddels zonder wroeging constateren. Haar schuldgevoelens begonnen op de achtergrond te raken nu ze afstand van alles had genomen. Het was een goed idee van haar geweest om hier heen te vluchten, wist ze. Dit had ze even nodig gehad om een brug te slaan tussen haar twee werelden.

HOOFDSTUK 19

Het strand lag er verlaten bij. De wind bulderde, de golven werden hoog opgezweept. Witte schuimkoppen spoelden op het strand, ze bleven achter terwijl het water zich weer terugtrok. Colette liep met haar handen in haar zakken en haar hoofd voorover gebogen langs de vloedlijn. Wat zag het er hier heel anders uit dan destijds tijdens hun huwelijksreis, dacht ze. Toen had de zon geschenen en had het strand vol gelegen met mensen die graag een bruin kleurtje op hun huid wilden kweken. Kinderen hadden af en aan gelopen met schepjes en emmertjes en overal hadden stemmen en muziek uit radio's geklonken. Nu liep ze hier in haar eentje en kwam het enige geluid van de wind en het ruisen van de zee.

Ze liep hier al minstens een uur en genoot van deze wandeling. Het leek wel of de ruwe wind alle verwarde gedachten uit haar hoofd blies. Na twee weken bij Mariska en Jan voelde ze zich, voor het eerst sinds tijden, heerlijk uitgerust. Eenmaal weer thuis zou haar nog heel wat te wachten staan, wist ze, maar ze had het gevoel alsof ze alles weer aan kon.

Tegen de duinenrij, vlak voor de opgang naar de boulevard, stond een verlaten bankje waar Colette ging zitten. Hier was het ineens een stuk drukker. Sommige mensen lieten hun honden lekker over het strand rennen, verderop liep een verliefd paartje met de armen om elkaar heen geslagen. Colette huiverde in haar dikke jas. Onontkoombaar drongen de herinneringen aan hun huwelijksreis zich aan haar op. Toen hadden ze hier ook vaak gezeten. Lachend, kletsend en fantaserend over hun toekomst. Het was maar goed dat ze niet van tevoren hadden geweten hoe die toekomst eruit zag. Wat waren ze gelukkig geweest toen, mijmerde ze. Ondanks alles wat er in die tussentijd gebeurd was, kon ze die gevoelens nog makkelijk oproepen. Ze was blij dat haar herinneringen niet vertroebeld waren door de gebeurtenissen van de afgelopen jaren, al zag ze Leo inmiddels in een heel ander licht. Toen was het in ieder geval goed geweest en daar was ze dankbaar voor. Ze had absoluut geen spijt van de tijd die ze met Leo door had gebracht.

Ze schrok op toen er iemand naast haar plaatsnam op het bankje.

„Zit je je zonden te overdenken?" klonk een spottende stem. „Dan ben je nog wel even bezig, denk ik zo."

Opkijkend zag Colette dat Emma naast haar was komen zitten. De vrouw van Leo's vriend Pieter, de eigenaren van het hotel waar ze op huwelijksreis waren geweest. Ze keek haar vijandig aan.

„Sorry?" reageerde Colette verbaasd. Ze moest even omschakelen, aangezien haar gedachten in het verleden hadden vertoefd. Een verleden waarin Emma aardig en hartelijk tegen haar geweest was, herinnerde ze zich. Heel anders dan de manier waarop ze haar nu opnam.

De blik in haar ogen was ronduit kil te noemen.

„Wat doe je hier terwijl je man thuis voor zijn leven vecht? Ik vind het nogal lef hebben om er zonder meer vandoor te gaan, Colette. Je zou nu bij hem moeten zijn om voor hem te zorgen."

„Ik heb al die tijd niet anders gedaan," zei Colette van haar stuk gebracht.

„Dat zie ik, ja," zei Emma sarcastisch. „Pieter en ik hebben altijd al gezegd dat Leo er niet goed aan deed om met zo'n jong ding te trouwen en het blijkt nu wel dat we gelijk

hadden. Bij de eerste tegenslag laat je hem al in de steek."
„Waar bemoei jij je eigenlijk mee?" vroeg Colette nu kwaad.
„Met Leo, die een dierbare vriend van ons is. Van Jaap hebben we gehoord dat hij weer in het ziekenhuis ligt. Die man is al die tijd bezig geweest om jou te bellen, zonder resultaat. Van Leo hoorde hij uiteindelijk dat je weg was gegaan. Gevlucht voor je verantwoordelijkheid dus, zo noem ik het tenminste."
„Jaap, de broer van Leo." Colette knikte. „Diezelfde Jaap die in al die tijd nog niet één keer de moeite heeft genomen om bij zijn zieke broer op bezoek te komen. Hetzelfde geldt overigens voor zijn dierbare vrienden."
Dat laatste klonk ronduit bijtend.
Heel even leek Emma van haar stuk gebracht. „Wij hebben een hotel te runnen, we kunnen er niet zomaar tussenuit," zei ze toen op hoge toon.
„In een jaar tijd hebben jullie niet één keer kans gezien om een uurtje op visite te komen?" Colette trok haar wenkbrauwen hoog op. „Jullie werken werkelijk zeven dagen per week, vierentwintig uur per dag, zonder vakanties of vrije dagen? Ik zou bijna medelijden met jullie krijgen."
„We hadden het nu niet over ons, maar over jou," zei Emma scherp.
„Je vergist je." Colette stond op en keek vanuit die positie op Emma neer. „Jij meende het recht te hebben om over mij te praten, maar daar heb ik geen behoefte aan. Je weet totaal niets af van de situatie. Je voelt je goed genoeg om over anderen te oordelen, maar ik zou eerst eens naar mezelf kijken als ik jou was. Waar haal je in vredesnaam het lef vandaan om mij te beschuldigen?"

„Je kan niet zomaar op vakantie gaan terwijl je man dood-ziek is," hield Emma koppig vol.

„Ik hoop voor jou dat jullie nooit met dergelijke proble-matiek te maken krijgen, maar zo wel dan spreek ik je nog wel eens. Jullie hebben geen flauw benul hoe het is. Een beetje steun of begrip hebben jullie al die tijd niet kunnen of willen bieden, toch zit je hier nu als de wrekende gerechtigheid een keihard oordeel uit te spreken over anderen. Ik heb een jaar lang dag en nacht voor Leo gezorgd, Emma, jullie hebben af en toe een kaartje gestuurd. Ben je nu trots op jezelf?"

„Dat kan ik jou ook vragen." Emma leek niet onder de indruk van Colettes woorden. „Jaap had van Leo begre-pen dat jullie gaan scheiden, voor zover die arme man zich verstaanbaar kon maken. Ik vind het een schande, Colette. Je laat een zieke man niet in de steek."

„Ik geloof niet dat ik jou daar verantwoording over af hoef te leggen," zei Colette kalm.

„Wij zijn Leo's vrienden en als zodanig mogen wij toch ook wel weten wat er speelt."

„Ik heb niet gemerkt dat jullie daar enige belangstelling voor hebben. Zo wel, dan had je geweten hoe het was en had je die verwijten waarschijnlijk voor je gehouden. Hoewel…" Ze lachte even spottend. „Waarschijnlijk ook niet. Mensen als jullie denken overal het juiste van te weten en menen ook het recht te hebben daarover te mogen oordelen. Ik walg daarvan, weet je dat? Met vrien-den als jullie heeft een mens in ieder geval geen vijanden meer nodig."

„Je durft heel wat te zeggen," zei Emma hoog.

„Wat had je dan verwacht? Dat ik als een klein kind terug naar mijn man zou rennen omdat jij vindt dat dat nodig is?" Colette draaide zich om. „Het spijt me, maar ik ben uitgepraat met je. Hier wens ik geen woord meer aan te verspillen." Ze liep zonder meer weg, hoewel Emma nog pogingen deed om haar terug te roepen. Colette reageerde niet meer, ze keek niet eens om. Ze was woedend vanwege de beschuldigingen die ze naar haar hoofd geslingerd had gekregen. Toch had deze ruzie ook een goede kant, ontdekte ze. Nu Emma openlijk had gezegd waar Colette zo mee worstelde, besefte ze opeens dat dit klinkklare onzin was. Haar reactie was impulsief geweest, maar wel recht uit haar hart gekomen. Ze hoefde zichzelf inderdaad geen verwijten te maken, evenmin hoefde ze zich schuldig te voelen. Het was nu eenmaal zo gelopen, daar kon niemand iets aan veranderen. Ook zij niet. Bovendien was de ziekte van Leo op zich geen reden voor haar om bij hem weg te gaan, anders had ze dat wel meteen gedaan. Ze wilde van hem scheiden omdat ze niet meer van hem hield, dat was een heel ander verhaal. De aantijgingen van Emma waren net het laatste duwtje dat ze nodig had gehad om de situatie objectief te kunnen bekijken.

Diep ademde Colette de zilte zeelucht in. Ze voelde zich bevrijd.

Na een hartelijk afscheid en vele bedankjes van Colettes kant stond ze klaar om terug naar huis te keren.

„Hou nou eens op met dat bedanken," grinnikte Mariska. „We hebben niks gedaan voor je, behalve dan onze logeerkamer tot je beschikking gesteld."

„Jullie waren er, dat was het belangrijkste," zei Colette ernstig. „En jullie veroordeelden me niet, in tegenstelling tot sommige anderen."

„Dat soort types moet je in hun sop gaar laten koken, daar heb je totaal niets aan," zei Mariska. Ze maakte daarbij een verachtelijk gebaar met haar hand.

„Tot die ontdekking ben ik ook gekomen, ja. Gelukkig heb ik jullie. Bedankt, Maris."

„Kappen nou," riep die lachend uit. „We hebben het met liefde gedaan en er is niets zo vervelend als oeverloos bedankt worden voor iets wat je zelf heel normaal vindt."

„Heb je het eindelijk door?" Ook Colette begon nu te lachen. „Dat heb ik jou vaak genoeg gezegd nadat ik Wessel voor de auto vandaan had getrokken. Je bleef ook maar aan de gang. Nu staan we tenminste quitte."

„Die schuld zal ik nooit kunnen vereffenen," zei Mariska ernstig. „Wacht maar tot je eigen kindje er is, dan weet je wat ik bedoel. Rij voorzichtig, Colette. Heb je Nick laten weten dat je terugkomt?"

Colette knikte. „Hij was er blij om," zei ze eenvoudig.

Ze zwaaide nog lang na het wegrijden naar Mariska, die bij het tuinhek bleef staan tot ze uiteindelijk de hoek omsloeg en aan het oog werd onttrokken. Mariska en Jan waren mensen uit duizenden, dacht Colette dankbaar bij zichzelf. Vrienden om in ere te houden, net als Emily en Simon. Ze had weliswaar niet veel vrienden, maar diegene die ze had, waren dan ook ontzettend veel waard. Aan Emma en Pieter kon ze beter geen enkele gedachte meer verspillen.

Het was rustig op de weg en ze legde de afstand naar haar eigen woonplaats dan ook vlot af. Eenmaal in het centrum aarzelde ze. Zou ze naar haar eigen huis gaan of naar Nick? Ze voelde er veel voor om hem te verrassen, aan de andere kant was ze gaar na dat stuk rijden en was het niet zeker of Nick wel thuis zou zijn, dus stuurde ze toch de richting van haar eigen huis op. Later was ze blij dat ze daartoe besloten had, want zodra ze haar straat indraaide, zag ze Nick al staan, leunend tegen zijn auto. Een warm gevoel steeg in haar op bij deze aanblik en ze besefte hoe erg ze hem gemist had in die paar dagen. Ze vloog dan ook in zijn uitnodigende armen.

„Wat ben ik blij je te zien," zei ze vanuit de grond van haar hart.

Opgelucht trok Nick haar tegen zich aan. Dat laatste gesprek tussen hen had hem behoorlijk dwars gezeten. Hij was te ver gegaan, had hij te laat beseft.

„Het spijt me," zei hij. Colette begreep onmiddellijk wat hij bedoelde.

„Laat maar. Ik weet dat je het niet zo bedoelde als het eruit kwam." Ze grinnikte even.

„Dat is ook zo. Later realiseerde ik me dat ik behoorlijk cru overgekomen moest zijn op je. Maar dit heb ik nooit gewild, Colet, geloof me. Nu de situatie eenmaal zo is, wordt het voor jou wellicht makkelijker en daar ging het mij om, maar voor Leo is dit natuurlijk vreselijk. Ik zal er nooit blij om kunnen zijn dat dit hem overkomen is. Ik ging echt te ver in mijn beweringen."

„Ik was behoorlijk kwaad, ja," gaf Colette toe. „Maar jij bent niet de enige die nagedacht heeft. De afgelopen weken heb ik geleerd de situatie vanuit een ander perspectief te bekijken. Met dank aan Emma, overigens." Ze begon hardop te lachen.

„Zullen we naar binnen gaan en daar verder praten?" stelde Nick voor. Hij zag Colettes buurvrouw nieuwsgierig naar hen kijken en voelde er niets voor om als publiekelijk vermaak te dienen.

Met de armen om elkaar heen geslagen liepen ze het pad

naar de voordeur op. Nick had als vanzelfsprekend Colettes koffer gepakt.

„En nu wil ik eerst weten hoe het met onze baby is," eiste hij in de huiskamer.

„Prima." Trots stak Colette haar buik naar voren. Voor iemand die het niet wist, was het waarschijnlijk nog niet echt zichtbaar, maar zij genoot van de veranderingen van haar lichaam. „Morgen heb ik mijn eerste controle bij de verloskundige."

„Dan ga ik met je mee."

„Ik had niet anders verwacht van je. Jij en ik, Nick." Colette liep naar hem toe en sloeg haar armen om zijn hals. „Voortaan doen we alles samen."

„Dat klinkt als muziek in mijn oren. Weet je het heel zeker, Colet? Ik wil je niet dwingen tot beslissingen waar je niet volledig achter kunt staan."

„Ik zal Leo nooit helemaal in de steek laten, dat zul je in ieder geval moeten accepteren. Hij is een heel belangrijk en dierbaar deel van mijn leven geweest. Behalve dat ik er wil zijn voor hem, vind ik ook dat ik het aan hem verplicht ben. Toen ik het moeilijk had, was hij er ook voor mij. Zijn gedrag van het laatste jaar wil ik hem niet aanrekenen," zei Colette ernstig.

Nick knikte. „Natuurlijk zullen we er alles aan doen om het leven voor hem zo makkelijk mogelijk te maken. Hij zal er nooit helemaal alleen voor staan," beloofde hij.

Dit was precies wat Colette wilde horen. Met een zucht van geluk leunde ze tegen hem aan.

„Ik ga morgen naar hem toe. Van Emma begreep ik dat er in ieder geval weer een gesprek met hem te voeren is, al zal hij niet al te best verstaanbaar zijn."

„Zal ik met je meegaan?"

„Nee, dit moet ik alleen doen. Hij heeft recht op een eerlijk gesprek. Ik weet niet hoe het zal lopen en of hij er iets van zal begrijpen, maar dit moet ik doen."

„Ik breng je," zei Nick op een toon die geen tegenspraak duldde. „Ik zal in de wagen wachten tot je terugkomt, maar ik wil niet dat je dan alleen bent."

Colette ging hier niet tegenin en de dag daarna was ze daar blij om. Ze was behoorlijk nerveus voor wat haar in het ziekenhuis te wachten stond en het was beter dat ze niet zelf de auto bestuurde. Haar gedachten werden teveel in beslag genomen door het komende gesprek om haar aandacht bij het verkeer te kunnen houden.

Aarzelend bleef ze staan voor de deur van de kamer waar Leo verpleegd werd. Ze zag er tegenop om haar man te zien. De laatste keer dat ze hem had gezien, op de avond van zijn tweede hersenbloeding, zag hij er verschrikkelijk uit, wist ze nog. Met een asgrauwe kleur, een scheefgezakte mond en ogen die hol stonden van angst. Het was geen prettige aanblik geweest en hij had in niets geleken op de Leo die ze had leren kennen. Uiteindelijk vermande ze zich en duwde zachtjes de deur open. Wat ze binnen aantrof, viel haar alleszins mee. Zeggen dat Leo een gezonde indruk maakte zou zwaar overdreven zijn, maar zijn gelaatskleur was weer redelijk normaal en zijn ogen stonden rustig. Ze lichtten blij op toen hij haar zag.

„Colette. Je bent terug." Het kwam er moeizaam uit.

„Het spijt me dat ik er niet was voor je. Het werd me allemaal teveel, ik moest echt even weg," zei ze terwijl ze een stoel pakte en naast het bed plaatsnam.

„Alleen?" vroeg hij.

„Natuurlijk alleen. Ik had tijd nodig om al mijn verwarde gedachten op een rijtje te krijgen. Leo, ik ben van een ander gaan houden, maar je moet nooit denken dat ik jou zonder meer heb ingeruild voor hem omdat jij ziek geworden bent," zei ze dringend.

„Ik was niet makkelijk." Ze moest zich over hem heen buigen om hem te kunnen verstaan. Toen ze begreep wat hij zei, schoot ze onwillekeurig in de lach.

„Dat is het understatement van het jaar," grinnikte ze. Even zag ze een zweem van een glimlach op zijn gezicht verschijnen. Zijn gevoel voor humor had hij dus toch behouden, dacht ze. De woorden waren eruit geschoten voor ze ze tegen had kunnen houden. Vroeger kon dat ook gewoon, ze had nooit op haar woorden hoeven letten bij hem en ze hadden allebei een zwartgallig gevoel voor humor gehad. Nu wilde ze hem echter voor geen prijs kwetsen.

Voorzichtig pakte ze zijn hand en kneep er licht in. „Het is niet gelopen zoals we ons voorgesteld hadden, hè?" zei ze met weemoed in haar stem.

Hij schudde zijn hoofd. Vanuit zijn ooghoek liep langzaam een traan over zijn gezicht. Colettes hart liep over van medelijden. Maar meer dan dat was het niet, besefte ze meteen. Medelijden met een man wiens lichaam hem in de steek had gelaten. Ze had veel gevoelens voor Leo, maar liefde zoals een vrouw voor haar man hoorde te voelen, was daar niet meer bij. Schuldig voelde ze zich daar niet meer om, al had het haar veel moeite gekost om daar overheen te komen.

Zwijgend bleef ze een tijdje zo zitten, tot Leo ineens begon te praten. Hij deed het langzaam, zodat het haar weinig moeite kostte om hem te begrijpen, want echt duidelijk waren de klanken die hij voortbracht niet.

„Word gelukkig, Colette," verstond ze. „Denk niet meer aan mij."

„Ik zal altijd aan jou blijven denken. Ik wil niet meer getrouwd zijn met je, maar ik zal je niet aan je lot overlaten. Je kan gewoon op me blijven rekenen."

„Ik ga naar het revalidatiecentrum toe. Ik kan al meer dan de dokter verwachtte."

„Daar ben ik blij om. Je redt het, Leo, daar ben ik zeker van," zei Colette ontroerd. Ze moest moeite doen om niet te gaan huilen.

Hè bah, het lijkt net of ik meespeel in een melodramatische film, dacht ze bij zichzelf. Nog even en dan vallen we elkaar snikkend in de armen.

Omdat ze het niet zover wilde laten komen, stond ze op. Leo keek opmerkzaam naar haar. Hij hief zijn goede hand omhoog en wees naar haar buik. Hij zei niets, maar keek haar vragend aan.

Colette knikte. „Ik krijg een baby," beantwoordde ze zijn niet uitgesproken vraag.

Tot haar grote opluchting kwam er een glimlach op zijn gezicht.

„Word gelukkig," zei hij nog een keer.

Diep in gedachten verliet ze de ziekenkamer. Dit gesprek was haar honderd procent meegevallen. Het leek wel of Leo na zijn tweede hersenbloeding weer de man was van vroeger. Ze had geen spoor teruggevonden van Leo zoals hij het laatste jaar was geweest en die het haar zo moeilijk had gemaakt. Ze was er blij om, al veranderde het verder niets aan haar gevoelens. Maar het leven zou voor hemzelf zoveel beter zijn zonder zijn ongecontroleerde woede-uitbarstingen, onredelijke buien en zelfbeklag. Vanwege dit gedrag hadden de meeste mensen hem de laatste tijd zoveel mogelijk gemeden, terwijl hij juist nu alle steun hard nodig had.

Voor de draaideur die naar de parkeerplaats leidde, bleef Colette staan. Achter haar lag haar verleden in de vorm van Leo, voor haar bevond zich Nick, haar toekomst. Twee verschillende mannen, twee verschillende werelden, die toch allebei deel van haar leven uit zouden blijven maken. Het verleden was niet uit te wissen en dat wilde ze ook niet. Maar de toekomst was op dit moment even het belangrijkste.

Met een glimlach op haar gezicht liep Colette naar buiten, naar die toekomst toe. Naar Nick.